沖縄から貧困がなくならない本当の理由

樋口耕太郎

光文社新書

沖縄から貧困がなくならない本当の理由　目次

第2章　人間関係の経済

第3章

はじめに　沖縄は、見かけとはまったく違う社会である

貧困率「断トツ全国一位」の謎

沖縄には、謎が多い。

２０１２年以降、圧倒的な好景気が続き、経済は「バブル超え」の絶好調。沖縄への観光客は年間１０００万人を超えて、ついにハワイを抜いた。建設業は活況を呈し、現場の職人は休む暇もない。

数々の特別措置と手厚い経済援助を受け、社会インフラの整備は全国で最も進んでいる地域の一つでもある。

一人当たりの県民所得は４年連続で上昇し、過去最高を更新している。[*1]

その一方で、都道府県別の県民所得では11年連続で全国最下位。賃金は全国の最低水準で、[*2]貧困率は全国平均の実に２倍。[*3]沖縄は日本でも突出した貧困社会である。

優しい沖縄人《ウチナーンチュ》、癒しの島……沖縄に魅せられた多くの人が、その最大の魅力は島の人の穏やかさ、温かさ、だと口をそろえる。

またその一方で、沖縄社会における、自殺率[*4]、重犯罪[*5]、DV[*6]、幼児虐待[*7]、いじめ、依存症、飲酒[*8]、不登校[*9]、教員の鬱の問題は、全国でも他の地域を圧倒している[*10]。

なぜ、「好景気」の中で貧困が生じ、「優しさ」の中で人が苦しむのだろう？

本書は、この問いに、真正面から向き合うものだ。

一見矛盾するこれらの問題が、沖縄でなぜ生じているのか、その「本当の理由」をできる限りわかりやすく論じてみる。

とはいえ、私は、沖縄の社会問題に直接関わってきた専門家ではない。

人生のいくつかの偶然が重なって、16年前から沖縄で暮らしているが、私自身は岩手県盛岡市の出身で沖縄に地縁はない。

8年前に沖縄大学に採用されて以来、国際コミュニケーション学科の教員として、『観光経営論』や『幸福論』などを教えているが、それまでの二十数年間は、野村證券を振り出しに、金融・事業再生が私の主戦場だった。

貧困も、沖縄も、教育も、かなりの畑違いである。

その私が、沖縄の社会問題を語るのには、はっきりした理由がある。

それは、今、私の目の前にいる、一人ひとりの学生が直面している様々な障害を理解する上で、どうしても避けて通れない問題だったからだ。

無感動を通り越して「無感覚」な大学生たち

沖縄大学の現場体験は、私の思い込みや常識をいい意味で壊してくれた。

大学で働き始めて、認識を新たにしたのだが、沖縄は、日本の教育問題が凝縮する地域だということである。

高校、大学進学率[*11]、中途退学率[*12]、学力[*13]、就職率[*14]、高卒、大卒無業者率[*15]、高卒、大卒者の離職率[*16]、不登校小学生、不登校中学生、暴力行為発生件数、いじめの認知件数[*17]、教員病休率[*18]、給食費未納率[*19]、刑法犯の少年割合、再犯率、共犯率[*20]……沖縄の教育関連のあらゆる指標は全国で最低水準を示している。教育の現場では日常的に、学力不足、定員の未充足、退学、奨学金の滞納、教員の休職等々……数々の問題に直面することになる。

しかしそこには、表面的なデータからは読み取ることができない、子どもたちの心の問題が、根深く、存在する。

例えば、私が担当したある少人数の講義で、課題図書を指定した。内容を理解してレポートを提出することが単位取得のための必要条件だと学生に明確に伝えていた。ところが、受講生の約3割が提出しなかった。履修を諦めたのかと思えば、引き続き授業には出席してくるので、単位は取得するつもりらしい。

私の経験上、明らかすぎるくらいに意味不明な行動には、ことの本質を理解するためのヒントが隠されていることが多い。事情が知りたかったので、学生たちに詳しく話を聞いてみた。

一人の学生は、図書を購入したのだが「難しくて読めなかった」という。私が、「どこまで読んでみたのか、どの部分が特に難しかったのか」と尋ねると（この時点で、学生は「私に責められている」という雰囲気を醸し出しはじめる）、「実は、今まで一冊も本を読んだことがない。課題図書は購入したけれど、どうせ読めないと思ったから、表紙を開いていない」と告白した。

「本が難しくて読めない」のであれば、それは学力の問題である。しかし、「本が難しくて読めないと思っている」のであれば、それは学力とは全く違った心の問題だ。低い学力は症状に過ぎない。

別の学生は、「図書館に行ったら課題図書が貸し出されていた。返却されるまで（何ヶ月も）待っていたが、まだ借りられない」という。書店やネットで探したかと尋ねると、「本を買うお金は十分持っているが、（うっかりしていて！）書店には行かなかった」という答えだ。

このことだけでも理解しがたい行動に見えるのだが、彼もまた毎回きっちり授業に出席していて、課題図書を読まずに、課題を提出せずに、単位を取得することを期待しているかのように振る舞う。

ここまで行動が分裂しているということは、彼らの判断がそうさせているというよりも、そもそもそこに判断が存在しないということを示唆している。

いったい、彼らに何が起こっているのだろう？

大人の感覚では「努力不足」「やる気がない」「何も考えていない」と片付けたくもなるが、私が見る限り、そもそも努力できない心の理由があることがほとんどだ。

概して自己肯定感が低く、情熱に乏しく、「失敗するくらいなら何もしないほうがいい」という雰囲気がある。行動すること、挑戦すること、失敗することを恐れ、一歩を踏み出すことができない。

そして何よりも、自分はなぜ学ぶのか？　という大きな問いに答えがない。というよりも、問うこと自体を避けようとする。大学に進学した最大の理由は「みんなが行くから」「親が喜ぶから」「なんとなく」。

「若者は無感動だ」と言う大人がいるが、私が見る限り、学生たちのそれは、無感動を通り越して「無感覚」に近い。

一方で、沖縄県の大学進学率は、全国最低水準といえども約40％である。大学で学ぶ学生は、すでに沖縄の18歳人口の上位40％の「エリート」なのだ。彼らの姿は、沖縄の将来の姿そのものである。

将来の沖縄を支える彼らが、心の問題を抱え、無感覚に漂い、自分を生きることができなければ、沖縄社会の未来は成り立たない。

無感覚の沖縄社会

無感覚なのは学生だけではない。沖縄社会全体を見渡すと、なぜこれほど「無感覚」に物事が進むのか、首を傾げたくなることは多い。

その代表例が都市開発だろう。

例えば、１９８７年に返還された１９２ヘクタールの米軍牧港《まきみなと》住宅地区の再開発によって誕生した那覇新都心おもろまちは、基地返還後の経済波及効果のモデルケースとして取り上げられることが多いが、その目抜き通り、沖縄県の顔ともいうべき県立博物館・美術館の正面に、パチンコ店と家電量販店と低価格のビジネスホテル、日銀那覇支店の正面にはショッピングセンターが連なる。この街並みを見て無念と感じるのは、私だけではないはずだ。

沖縄の基地返還後の再開発のあり方は、利益主導、消費主導、雇用の（質よりも）数優先、住民税（人口）優先でなされてきた。基地が返ってくるたびに利益優先で土地利用を決め、街を区画整理すれば、賃料、地代、買収価格を最も高く提示できるショッピングセンター、家電量販店、パチンコ・スロット店、コールセンター、安価なホテル、コンビニが目抜き通りを占めるのは当然だ。

現在のおもろまちは、このとおりの雑然とした街並みとなっている。

この問題が沖縄において特に深刻といえるのは、なんといっても膨大な面積の埋め立て計画と圧倒的な量の基地返還が進行中だからだ。

沖縄は復帰以来、海岸線を容赦なく埋め立ててきた歴史をもつ。国土地理院沖縄支所（昭和63年～平成25年の沖縄県面積値の推移）によると、1988年から2013年までの25年間に、沖縄県の面積は東京ドーム約296個分に相当する13・91平方キロメートル増加している[21]（東京ドームの面積は0・047平方キロメートル）。

宜野湾《ぎのわん》市の1980年代の西海岸埋立て地は、ラブホテルとパチンコ店とショッピングセンターと倉庫が連なる街に変わった。豊見城《とみぐすく》市豊崎、糸満《いとまん》市西崎・潮崎、与那原《よなばる》町東浜《あがりはま》もおおよそ同時期の埋立てだが、収益優先の無個性な街が量産されている。浦添《うらそえ》市では2014年、1キロメートル近くもあるキャンプ・キンザーの美しい自然の西海岸をコンクリートで埋めてしまったが[22]、その跡地で開発されたのは、やはり個性に乏しい巨大ショッピングセンターだ。

１９９６年の沖縄に関する特別行動委員会（ＳＡＣＯ）最終報告[*23]に基づいて、５０００ヘクタールを超える米軍基地の返還が進行中であるが、２０１４年頃から本格的な開発が始まっている北谷《ちゃたん》町キャンプ桑江《くわえ》返還跡地北側地区45・８ヘクタールは、あっという間に雑然とした街並みに変化した。今後南側68ヘクタールの返還を控えているが、その変化を見届けるのが不安になる。

会話をしていたあるウチナーンチュの言葉が印象的だった。

「どれだけ基地が返還されても、悲しい街ができるだけ……」

今後、都市部では、牧港補給地区（キャンプ・キンザー）２７４ヘクタール、普天間《ふてんま》飛行場４８０ヘクタール、那覇軍港57ヘクタールなどの返還が予定されているが、このまま放っておけば、何倍もの「おもろまち」が誕生するだろう。

「耳を傾ける」というアプローチ

なぜこのような現象が生じるのだろうか？

個人にしろ、社会にしろ、この無感覚さの原因はいったいなんだろうか？

沖縄社会で生まれ育った沖縄人《ウチナーンチュ》に、沖縄社会のことを直接尋ねてみても、行動の多くは無意識で、ほとんどの人はその意味を言語化できない。本人に自覚がない（無意識だ）から、アンケートやインタビュー、フィールドワークで本質を抽出することが不可能に近い。

誤解を恐れずに書くと、ウチナーンチュは、言葉でまっすぐに表現したり、議論を闘わせたり、物事を論理的に突き詰めたりすることを嫌うため、なおさらである。

無意識の動機を知るためには、膨大な時間をかけて、ウチナーンチュの心に寄り添い、本人も気がついていない、抑圧された心の葛藤に誠実な関心を示す必要がある。

沖縄は見かけとは全く異なる社会だ。理解したと思っても、その下にはまだまだ奥がある。そんな体験を、私は何度も繰り返してきた。微妙な人間関係が社会のあらゆる面に、広く、深く影響を及ぼしているから、表面的な現象や相違点をなぞっただけでは、本質にたどり着くことができないのだ。

一方、沖縄社会の外部で生まれ育ったナイチャー（「内地の人」の意・本土人）は、沖縄にエキゾチックな特殊性を感じる。それは身悶えするような魅力であったり、やるかたない苛立ちだったりする。しかし、沖縄好きな人も、沖縄嫌いな人も、ナイチャーが沖縄を見る視点は、あくまで本土基準であって、沖縄の本質を理解したことにはならない。

おそらく、そういう理由からだろう、沖縄の貧困などの社会問題について、その原因がリアリティをもって言語化されたものは、私が知る限り、書籍、論文、新聞記事、コラムなどを含め、ほとんど存在しなかった。

根源的な解決策にいたっては、見たことも聞いたこともない。

参考になる資料が存在しないから、私にできることは、できるだけ多くの人と、できるだけ深く、できるだけ長時間、「心の会話」をすることだった。

沖縄社会と経済と人間関係とウチナーンチュの人生について膨大なケースを集めて、一つ一つの現象から仮説を導き、その仮説をさらに個別の現象で検証すること。それを何百回でも繰り返して、沖縄の社会構造を独自に描いてみることしかない。

私は、日曜祭日を除くほぼ毎晩（現在は水〜土曜日の毎晩）、午後8時半ころから午前2時前後まで、那覇市の繁華街・松山の「ある店」にいる。沖縄県内外の知識人が集まる飲食店として、知る人ぞ知る有名店である。カラオケもなく、女の子もいないので、基本的に会話だけで成り立っている場所だ[*24]。

おかしな話に聞こえるが、私が酒をやめたのは、この店で人の話を聞くためだ。毎晩「キープ料金」を払って、水を飲んでいる。

私はこの店の経営者でも出資者でもない。純粋な（とはいえ、いつも居るちょっと不思議な）常連客として毎晩5時間前後をここで過ごしている。多くの客は私と会話をするために来るわけではないので、私が人の話に耳を傾けることの方が多い。

毎日平均すると8名、年間では2000名の客が来店する。私はもう16年間これを続けているので、延べ3万人の人たちと約2万時間、心の会話を続けてきたことになる。

店であることの良さは、私が出会う人を選べないことだ。私の普段の生活では、接点が生まれそうにない人たちの話に耳を傾けることができる。

県内外の経営者、軍用地主、公務員、政治家、医者、マスコミ関係者、作家、芸能人、ブラック企業で非正規雇用として働いている人も、優良企業のビジネスマンも、無職の人も、ソーシャルワーカーも、シングルマザーも、裕福な主婦も、クラブのホステスもいる。

その中には、貧困家庭で育った人だったり、身近な知人がDVの被害者や加害者だったり、親戚が生活保護者だったり、貧困者を助けるために働き続けている人だったり、そして、現在貧困にあえいでいる人もいる。

問題対策の中心にいながら、対症療法のみに強い関心を持つ為政者や行政担当者、人間に関心のない人権活動家、行政に忖度することで識者として注目されている大学教授、子どもを愛せない母親、虐待された母親を愛せずに自分を責める子もいる……。

この場所では、社会の現実が圧倒的なリアリティで迫ってくる。特に貧困は、肉体的、精神的、性的、親子間などの様々な虐待や、複雑な人間関係の問題と深く交差していることが多いから、問題の複雑さと広がりは、無限であるようにさえ感じられる。

100万人の反響

私がこれから本書で言語化を試みる沖縄の社会問題の原因は、この店での約2万時間の会話に加えて、学生たちから拾った数千のデータ、学生たちとの直接の会話、及び16年間の私の沖縄での生活体験から導いた仮説をまとめたものである。

学生たちからは、両親との関係や両親の人生、家庭での会話、兄弟関係、子どもの頃の夢、諦めた夢、夢を諦めた時の状況、深く傷ついたこと、人間関係で苦しんだこと、親友との関係、先輩後輩の関わり方、最近の悩み、彼氏彼女との交際について、いじめられた経験、いじめた経験など、個人的に話を聞いたり、相談に乗ったり、数百時間をかけて彼らの話に耳を傾けた。

授業では、心と人間関係に関するテーマを取り上げ、学生たちが自分自身を見つめ、行動を促す内容の課題を出した。単純計算で、２００名の学生に年間30回課題を求めるだけでも６０００件のデータになる。

２０１６年から２０１８年にかけて、その論点の一部を、沖縄タイムスの電子版や、政治サイト「ポリタス」に「沖縄から貧困がなくならない本当の理由」[*25]といったタイトルで寄稿したところ、大きな反響が巻き起こった（正確に言うと、ポリタスでは「沖縄から貧困がなくならない、本当の、本当の理由」[*26]というタイトル）。

ＳＮＳを通じて沖縄県内外の読者に広く拡散し、これまでに少なくとも１００万人もの読者に読まれている。

米軍基地問題を抱える沖縄では、沖縄の問題（の大半）の原因は、戦争または本土の政治姿勢に起因するという、強い空気感がある。「沖縄県内に問題の原因がある」という論調は、沖縄社会ではタブーに近いのだ。本土人たちも、沖縄に対する贖罪《しょくざい》意識があるためか、沖縄を腫《は》れ物のように扱う傾向が強いから、そんなことは誰も口にしない。

その雰囲気の中で、私の論は、「根源的な問題は、沖縄の中にこそ、ある」という主張だったため、大きな反響があるのは当然といえば当然だろう。

しかし、県内外にかかわらず、感想や反応の圧倒的多数はポジティブなものだった。

ウチナーンチュにとって、読めば心苦しいことが多かったはずだが、多くは「ウチアタイ」したという。ウチアタイとは、改めて気づかされた、痛いところをつかれた、身につまされた、という意味の沖縄方言で、心の中の真実を認める時に使われる。

また、「沖縄が大好きなのに、沖縄に帰りたくない、その理由がわかった」「ずっと感じてきた息苦しさの理由がわかった」「自分が間違っていたのではなかったとわかって嬉しい」という反応も、象徴的だった。

私が、沖縄の社会問題をはっきりとした言葉で語る理由は、それが多くの人の苦しみを癒すと信じているからだ。

病は、病名がわからないときが一番苦しい。病の状態が正確に理解できれば、必要な覚悟もでき、気持ちが落ち着いて、それだけで快方に向かうことがある。病に向き合うことは、癒しのプロセスでもある。

そして最後に、沖縄問題は、全く違った形で私たち自身にたどり着く。
１９５０年代にアメリカで大人気を博した風刺漫画家ウォルト・ケリーが、彼のキャラクター「ポゴ」に語らせた有名なセリフがある。

敵の正体がわかった。それは、我々自身だ。
(We have met the enemy and he is us.)

第1章

「オリオン買収」は何を意味するのか

基地依存度「5%」の真実

1972年、沖縄は日本に復帰した。

以来日本政府は、沖縄に大量の経済援助を続けてきた。その最大の理由が、日米安保条約に基づいて駐留している在日米軍基地が沖縄に集中していることである。

本書では、その政治的な可否には触れるつもりはない。米軍基地の存在によって、大量かつ長期間にわたって注がれ続けている多額の経済援助が、沖縄社会にどのような影響を及ぼしているかを考察するものである。

沖縄の「基地関連収入」は県民総所得の「5%」程度まで縮小し、現在の沖縄経済はほとんど米軍基地に依存していないという議論が存在する。[*1] 沖縄県庁、学識者、マスコミなどが一貫してこれを支持し、歴代の知事がくり返し引用するなど、沖縄ではこの論旨がほとんど無批判に受け入れられている。

「沖縄は基地経済に依存していない」と主張できれば基地反対の声が強くなりやすいため、

この数字は政治的に利用されてきた。しかしながら、この「基地関連収入」は沖縄経済の外部依存度を計る指標としてはミスリーディングで、ほとんど事実ではないとすら言える。

「5％」の根拠となる「基地関連収入」は一般に、

①軍用地料
②軍雇用者所得
③米軍等への財・サービスの提供

の合計額と定義されている。[*2] しかし、沖縄に米軍基地が集中していることの「見返り」として提供されてきた有形無形の補助金、税制優遇、観光プロモーション、政治的配慮による数々のイベントやプロジェクトなどの一切はこの中にカウントされていないし、米軍普天間飛行場の辺野古《へのこ》移設に対する事実上のバーターとして沖縄に提供される一括交付金など、年間3000億円を超える沖縄関連予算[*3]は、あくまで沖縄「振興」予算であって、「基地」関連経済ではないという建前になっている。

よってこれも「5％」の計算からはまるまる除外されている。

その典型が酒税軽減措置に守られた酒造業界だ。沖縄で生産・販売される酒類について、泡盛は35％、ビール等は20％の酒税減免措置が続いている。このため地元酒造メーカーの商品は安価で求めやすい。本土の大手酒造メーカーの同種の商品よりも安価に販売できれば、多くの消費者を引きつけ、売り上げが増え、シェアは高くなる。

軽減された酒税の合計額は、復帰から２０１６年度までの累計で１２８７億円[*4]と巨額だ。

沖縄で生産・販売されているビールは、実質的にはオリオンビールしか存在しない。「ビール業」という区切りでは、この優遇措置はオリオンビールのために存在するようなものだ。国の施策の中で、特定の企業にこれほど巨額の優遇措置を、これほど長期間にわたって提供し続ける事例は極めて異例だ。

オリオンビールは本土復帰から42年間（注：２０１４年の引用時点）で約７００億円の酒税軽減措置を一社で享受している。[*5] 沖縄ならではの特例と言えるだろう。

オリオンビールは、長きにわたって数十億円単位の利益を生み出してきた「超優良企業」で、２０１８年3月期の当期利益は23億円を計上した。[*6] 本土復帰以来の利益をすべて合計すると５２０億円になる。[*7]

大変失礼な言い方だが、オリオンビールが生み出してきた利益の額が、国が減免してきた税金の合計額に満たないならば、オリンオンビールは純粋な民間事業会社として、過去利益を生んだことがあると言えるのだろうか？

オリオンビールはなぜ身売りされたのか？

７００億円の税金が約１５０名の正社員を雇用し、その家族の生活を支えてきた。消費支出がなされ、住宅を建て、車を買い、子どもの教育費が賄われている。

当社はまた、ラベルやビンの発注などで地元の製造業の売り上げを作り、多額の広告宣伝費を払い、多くの広告代理店の大口顧客となり、ミュージシャンやタレントを育て、県内で多くのイベントを開催するなど、地域経済を幅広く支えている。

この波及効果の大半も、突き詰めると酒税減免措置による。

……もちろんこのことは、反対の見方が可能だ。オリオンビールに対する酒税の減免措置、単純計算では毎年わずか17億円（７００億円÷42年）の財源で、地域にこれだけの経済効果を生み出す「秀逸」な政策だと言えなくもない。

酒税が減免されれば、オリオンビールの売り上げは増え、多くの取引業者が仕事をもらい、イベントに参加する人は知名度を上げ、消費者は安く地元のビールが飲める。酒税の軽減は、関わるほとんどすべての人の利益に適《かな》うから、地元で反対する人はいない。

酒税の減免措置は、１９７２年の沖縄施政権の日本移管に伴う特別措置として始まったものである。酒税が日本の制度に合わせて一気に高くなると、沖縄の零細企業は本土の大手酒造メーカーに太刀打ちできないであろうことに対する配慮である。

事業規模が大きいほど優位であるはずのビール業界で、キリン、アサヒ、サッポロ、サントリーを抑えて、オリオンビールの県内シェアは44％と圧倒的に高い[*8]のは、この軽減措置によるところが大きい。

この激変緩和措置は施行から5年以内に終了する予定だった。酒税の優遇措置はあくまで一時的なもので、優遇税制による資金援助を受けながら、その猶予期間に沖縄の酒造メーカーが経営努力を行い、真の事業力をつけることこそが本当のゴールだったからだ。

しかし、それが当初の趣旨に反して何度も延長され、復帰以来現在に至るまで、実に48年間も継続している。

オリオンビールの経営陣は、これだけの長い期間、資金援助を受け続けることに意識を集中させてしまい、真の事業力をつけるために情熱を発揮することは遂になかった。

このことは、県内で敵なしのオリオンが県外では競争力がなく、全国的には１％のシェアに満たないことにも端的に表れている。援助を受け始めてから48年間経過した今でも、税制優遇の及ばない沖縄県外で勝負する実力を持たないのだ。

それはまさに、潤沢な援助によって盤石なシェアと巨額の利益が生まれたからだ。オリオンビールにとって、事業力をつける必要がなかったのだ。

沖縄国際大学の前泊《まえどまり》博盛《ひろもり》教授は、２０１４年12月６日に札幌大学で開催されたシンポジウムで、沖縄の事情をよく知る内閣政務官を務めた人物の発言を紹介している。

「法制度そのものは県内企業が自立するための段階的な措置であって、将来は必ずなくさなければならない。それが復帰後42年（注：発言時点）経っても今でもなくすことができないという現状には二つの問題点が潜んでいる。一つ目は法制度そのものに欠陥があって企業に経営的な体力をつけさせることができなかったということ。二つ目は、法制度の対象とする業種がそれによって成長できるような業種ではなかったのではないか」[*9]

いみじくも、優遇税制は、経営力をつけるという目的を果たさない、という指摘である。

先に、オリオンビールの沖縄県内のシェアは44％と述べたが、オリオンビールの「最盛期」は酒税優遇措置の実施前である。本土復帰直前には県内市場の9割を押さえていた[*10]。その後、優遇措置の実施とタイミングを同じくして、右肩下がりでシェアを下げ続けて現在に至る。

２０１９年1月、オリオンビールは遂に自力再建を諦めて、野村ホールディングスと米投資ファンドのカーライル・グループへの身売りを決断した[*11]。その背景には、48年間継続した酒税の優遇措置が、そろそろ廃止されるのではないかという見通しがあると言われている[*12]。

仮に優遇措置が撤廃され、本土メーカーと同じ税率が適用されれば、その増加分だけ価格を引き上げざるを得ない。そのとき、事業力を積み上げてこなかったオリオンビールと大手メーカーとの直接対決になれば、大きくシェアを奪われて経営危機に直面するかもしれない。オリオンビールが身売りを決断するのは、「合理的」な判断だといえるのだ。

経営者の最大の仕事は優遇措置の更新

オリオンビールの経営者は、優遇税制という構造の中で合理的に行動してきた。援助によって利益が生まれるのであれば、手間暇のかかる事業力を積み上げるよりも、沖縄県の強力な政治力を使って優遇措置の永遠の更新に力を注ぐ方が、理に適っている。

オリオンビールの経営者の立場を代弁すれば、優遇税制の維持に全力を注ぐことこそが経営者としての責務だ、と考えたとしてもおかしくない。

実際、この制度の更新に最も積極的だったのが、沖縄県内の酒造会社で作る県酒類製造業連絡協議会会長、嘉手苅《かでかる》義男オリオンビール会長だ[*13]。

嘉手苅氏は酒造メーカーをまとめ、政治家を動かし、沖縄県企画部や県議会を巻き込み、知事の後ろ盾を得て[*14]自民党税制調査会に酒税軽減措置の延長を要望する一連の動きの中心にいた。嘉手苅氏は周囲に対して、ことあるごとに、「オリオンビールの経営者としての最大の仕事は、特措法の更新だ」と語ってきた[*15]という。

今、オリオンビールが問われていることは、酒税の優遇措置なしで存続できるだろうか？

ということだろう。そのことを一番信じていないのが、オリオンビール自身かもしれない。経済援助によって本業への意識が希薄になり、政治力を使って制度の維持に全力を注ぐ。そんな経営者の姿を見ていると、最大の弊害は、経営者から事業に対する情熱を奪ってしまうことではないかと思うのだ。

「役員報酬20億」事件

酒税の優遇措置を受けているのは、泡盛業界も同じだ。復帰から２０１３年までの41年間で、泡盛業界は総額約４１０億円の税金を免除されてきた。[*16] 既得権を持つ県内の47蔵元は、優遇措置によって安価に商品を販売できる。泡盛業界のように、複数企業の集合体に大量の援助がなされるとき、事情はもう少し複雑になる。泡盛業界と一括りにされがちだが、それぞれの蔵元の事業力はまるで異なるからだ。

２０１４年のデータによると、蔵元45社（47蔵元から休業１社と清酒と焼酎混和酒を製造する泰石《たいこく》酒造を除く）のうち、上位３社だけで、全出荷量の約５割（46・７％）を占める。営業利益に至ってはさらに顕著で、泡盛業界合計２億２５００万円のうち、３軒の蔵元がそのほとんどを享受している。[17]

一方、全体の約半数（26酒造所）は、従業員数が平均７・１人の零細事業所で、その半数が離島にある。泡盛製造業は県内製造業の３％、約９００人（２０１５年度）を雇用しているが、特に、製造業の少ない離島においては、泡盛酒造所の就業者が製造業就業者の約26％を占めるところもあるから、[18]零細といえども、地方経済にとっては無視できない存在だ。

「数」で見れば泡盛業界はその「大多数」が零細事業者だ。泡盛業界は経営基盤が「脆弱である」ことを理由に、酒税軽減措置の要請を続けてきた。しかしながら、「出荷量」で見れば、零細蔵元は業界全体のごく一部に過ぎない。

零細蔵元のための経済援助を業界に一律適用すれば、大半の出荷量を占める上位蔵元が巨額の利益を得ることは必然である。

この矛盾がはっきりと示されたのが、２０１４年11月の「事件」である。

業界売り上げ第２位で、泡盛残波《ざんぱ》を全国的にヒットさせた比嘉酒造（読谷村）が、創業社長を含む親族の役員４名に対して、４年間で20億円近くの報酬を支払い（12億７０００万円の基本報酬と、退職慰労金６億７０００万円）、沖縄国税事務所から申告漏れを指摘されたのだ。[19]

国税は比嘉酒造の役員報酬が過大だとして、税金過少申告を指摘しただけなのだが、その事件が朝日新聞で報道されたことで、この会社がどれだけ巨額の利益を上げていたのかが周知となってしまった。

民間企業はどれだけ利益を上げても構わないし、その利益に見合った報酬は自由に決めていいはずだ。しかしながら、酒税の減免措置を受けている泡盛業界の利益となると事情は異なる。その利益の源泉が税金だからだ。

多額の税金が投下されている本来の目的は、沖縄の伝統産業を支える零細蔵元が、脆弱な経営基盤から脱出する手助けをすることにある。しかしその税制政策の結果、利益のほとんどが少数の大手蔵元に集中する一方で、大多数の零細蔵元は復帰以来50年近く減免措置を受け続けてきても赤字のままだ。

「援助」によって、強いものはより潤い、弱いものはますます弱くなっている。

利権の構造

泡盛業界への酒税軽減措置は、その制度の趣旨からすれば、

①伝統産業とその多様性を守る
②地場の製造業とその雇用を守る
③離島地域の産業を支える

そのために、

④零細事業者の経済的自立を促す

ためのものだろう。

その精神は全く正しいし、そのこと自体に反対する人はほとんどいない。ほとんどの人が賛成することは、社会的な支持が得やすい。現に酒税の軽減措置は、これまで10回も延長されてきた（次回の更新は２０２１年5月）。蔵元の大半は零細企業だから、泡盛業界全体に優遇税制を適用することは、数多くの弱者を助けることでもある。

しかしながら、その軽減税制の恩恵のほとんどを享受するのは、零細企業とは程遠い一握りの超優良会社だ。そしてさらに、その利益は会社の中でもごく少数の創業者一族に対して、多ければ数十億円単位の報酬として支払われることになる。

……この図式は、社会の至る所で見られる利権の構造そのものだ。

多くの弱者を助けるという趣旨で政治家が動き、立法化され、特定のグループに対して経済的な援助が行われる。数多くの人が実際に援助資金を受け取るものの、大半はごく一部の利権者のところに流れる。多くの弱者たちは自分たちのささやかな暮らしや事業が改善したと喜ぶが、実は圧倒的に裕福な人たちがその何倍もの「援助」資金を手にしている。

さらに問題がある。

零細蔵元を助けるお金が、一部の優良蔵元に過剰に配分されているといっても、上位3社の営業利益の合計は2億円程度に過ぎない。多くの零細蔵元を守るという名目で酒税の減免措置を継続すれば、一方で、オリオンビール1社が20億円を超える純利益を享受するという構造が存在する。

泡盛業界上位の利権者もまた、オリオンビールというより大きな利権のために利用されているようなところがある。

そしてさらには、オリオンビールに対して利権を持つ（隠れた）少数が存在する。

このように、利権は入れ子構造になっていて、「多くの弱者のため」に政治が動き、援助がなされるほど、一部の利権者が多大な配分に与《あずか》る構造が存在するのだ。これらの利権は所得として計上されないことも多く、問題が表面化しにくい。

社会の権力者たちは、「社会のため」を語りながら、意識的あるいは無意識に自分の利害を最優先する。多くの場合それほどの悪意もない。場合によってはその自覚すらない。

このように、沖縄振興を目的として大量に注がれた税金が、沖縄社会を激しく歪《ゆが》める原動力になっているのだ。「弱者を助けるため」に活動する沖縄の利権者が、「成果」を上げれば上げるほど、沖縄内部に問題を生み出す原因を作り出してしまう。

このように、社会を歪め、弱者を助ける名目で（無意識に）搾取し、格差を生み出し、維持しているメカニズムは沖縄社会の内部にある。そして、日本政府からの大量の経済援助が、その歪みの構造を支える重要な役割を果たしてしまっている。

利権者たちは、必ずしもそれを意図しなくても、あるいは、自分が利権者だという自覚がなくても、結果的に、自ら多額の援助金を獲得し、大きな利益を手にしてしまうため、事業そのものには意識が向かない。事業家の自律心が奪われれば商品の質は低下する。

事業力が奪われれば、どれだけ利益を生み出していても、援助なしでは経営が成り立たなくなる……オリオンビールや泡盛蔵元のように。
沖縄の泡盛メーカーの労働生産性は、本土焼酎メーカーの約半分しかない。[20]
泡盛の売り上げは２００４年の最盛期から下がり続けて、２０１５年12月期までに43・6%減少している。[21]

沖縄を変えた１９９５年９月４日

１９８９年に私が野村證券に入社した頃の日本の証券業界は、株式売買手数料率が決められていた。だから当時の証券会社は、シェアを持ってさえいれば確実に、ふんだんに、利益が出た。

バブルの時期に大学を出たばかりの、社会も経済もろくに知らない新入社員が、一人で毎月何千万円近くもの売買手数料（つまり、利益だ）を生み出すことができるのも、規制によって証券会社の利益率が確定されていたからである。

「守られた経済」の中にいなければ、そんなことは不可能である。創造性もそれほど必要とされず、大したリスクも取らずに、お金を生み出す経済とはこういう意味だ。

事業で失敗することは少ないから、敢《あ》えてリスクを取る必要もない。利益が守られていれば創造性は乏しくなる。新しいことを始めるよりも、すでにあることを大量にこなすことの方が評価される。取引先に厳しい条件を突きつけて嫌われるよりも、人間関係を重視した方が理に適っている。お互いに甘えることが、ある意味での経済合理性を生む。モノ言う株主に配当するために人を解雇する必要もなければ、そもそも、株主の方を見て仕事をする必要すらなかった。

単純化して表現すれば、守られた経済では、お金の価値が低くなるのだ。

そして守られた経済では、事業性よりも人間関係が、創造性よりも序列が、個性よりも協調性が「経済合理的」になる。

ウチナーンチュは意外に思うかもしれないが、沖縄はおそらく日本で一番お金を入手しやすい場所だし、創造的な努力なくして利益を上げやすい（お金の価値が低い）地域特性がある。このことは詳しく後述する。

それはおそらく、沖縄経済が、本土経済よりもはるかに「守られている」ことを意味するし、本土からの援助が深く関わっているであろうことは、容易に想像できる。だから、沖縄で本当によく耳にする「沖縄は補助金に頼っていない」という言説はおかしいという直感が働く。

直感が確信に変わり始めたのが、沖縄県庁がまとめた「基地問題の沿革」という資料を読んだときである。このファイルには、１９４５年の終戦から１９７２年の本土復帰を経て２０１２年に至るまで、沖縄が対峙して来た米軍基地問題のあらゆる出来事と事件が、時系列にまとめられている[*22]。

沖縄の基地問題に無知だったときに、この資料を読むことから始めたのは正解だった。沖縄では、ニュース、論文、書籍、コラム、新聞記事などのあらゆる発言が、右か左かの政治活動的意図を持って発信されていることが多く、沖縄基地問題を客観的に理解できる資料が事実上存在しない。だから、時間の流れに沿って、淡々と事実と出来事をたどることが、最も適当な方法だった。

気がついたのは、時系列の中で激しい濃淡があるということだ。

合計１３９ページのこの資料は、68年間（１９４５年～２０１２年）の出来事をカバーしている。その中で、１９９５年から２００２年のわずか８年間のために、実に全体の３分の２

（88ページ）が割かれているのだ。

年数的には資料全体の10％超に過ぎない期間に関する資料が、全体のボリュームの63％を占めているということが、私の関心を引いた。

理由ははっきりしている。１９９５年９月４日の米兵少女暴行事件を境に、資料が膨大に膨れ上がっているのである。

米兵３名が、沖縄本島北部の商店街で買い物をしていた12歳の女子小学生を拉致し、粘着テープで顔を覆い、手足を縛り、近くの海岸で強姦した痛ましい事件である。

事件当初、日米地位協定によって、沖縄県警は米兵に対して逮捕状を執行できず、取り調べなどの捜査を行うことができなかった。冷酷な犯罪者に対する特権的な取り扱いを目の当たりにして、沖縄県民の反基地感情が爆発した（ただし、被告の身柄は同月29日には日本側に引き渡され、11月７日には那覇地裁で初公判が行われ、翌年３月７日には懲役６年６月〜７年の実刑判決が言い渡されている）。

９月28日の県議会では、大田《おおた》昌秀《まさひで》沖縄県知事が、駐留軍用地の強制使用にかかる土地調書・物件調書への代理署名を拒否することを宣言し、10月21日には、事件に抗議する県民総決起集会が行われ、大田知事を含む８万５０００人（主催者発表）が参加した。

沖縄県民の反基地感情にどれだけ激しい勢いで火がつき、米軍基地反対運動の大きなうねりが生じたかがよくわかる。

国家の非常事態

しかし、驚くのはここからである。

記録の一つ一つを丁寧に追いかけると、日本政府がどれだけ迅速に行動し、多方面からの重大な合意を次々と取り付け、莫大な事務作業をこなし、具体的な対応を大胆に形にしていったかが、映像のように浮かんでくる。

政府の実に機敏な反応は、これが根回しの国日本か、と目を疑うほどのスピード感がある。政府にとっては、「沖縄で国家の非常事態が発生した」という認識だったに違いない。この資料からは、当時の日本政府の相当な慌てぶりが伝わってくる。

11月17日には国と県による「沖縄米軍基地問題協議会」、19日には日米間の「沖縄に関する特別行動委員会」、いわゆるＳＡＣＯ[*23]が設置され、30日には63ヘクタールの恩納《おんな》通信所[*24]、

12月21日には、キャンプ・ハンセンの一部など8施設・10事案について、あっという間に返還合意がなされた。

翌年4月15日のＳＡＣＯ中間報告では、普天間飛行場、瀬名波《せなは》通信施設などの全面返還、キャンプ桑江の大部分の返還など、11施設の返還などが盛り込まれた。

そして、「国家の非常事態」は、沖縄への「経済援助」を大きく後押しした。

このとき以降の政府の沖縄に対する姿勢は、「沖縄県からの要求は、それがカネで解決のつくことであれば、すべてを受け入れる」と言わんばかりで、そのなりふり構わぬ姿勢は圧巻だ。

そして、沖縄側もこれによく呼応した。

１９９６年９月17日には、沖縄の経済振興を推進する「沖縄政策協議会」の設置が閣議決定され[*25]、11月12日に開かれた第2回幹事会では、政府側から実に88の沖縄振興事業が提案された。

この会で、沖縄県は「国際都市形成構想」を政府に提示してその実現を求め、規制緩和と制度支援プロジェクトの推進を要求した。このとき以降の、沖縄の経済振興に関わる出来事を追っていくと、政府と沖縄の間にどのような意図があったかが浮き上がってくる。それは「状況証拠」に過ぎないかもしれないが、出来事のタイミングは因果関係を雄弁に物語る。振り返ってみると、現在の沖縄経済・観光を支えている主要なプロジェクトやイベントは、奇妙なほど１９９５年以降から２０００年をまたぐ時期に集中しているのだ。

１９９７年６月、米軍基地所在市町村に開発事業を提供する、いわゆる「島田懇談会」が設立されて、１０００億円の事業予算が認められ、２０１３年度までに８８８億円が計上された。慶應大学の島田晴雄教授を座長とし、米軍基地を受け入れている25市町村を対象として、地元の要望に基づいた振興事業を進めた。

具体的には、国際通りの中心に開発されたＮＡＨＡぶんかテンブス（14億円）、宜野湾港マリーナ整備（11億円）、浦添市産業振興センター・結《ゆい》の街（19億円）、名護《なご》市立動植物公園ネオパークオキナワ（33億円）、沖縄こどもの国・こども未来館（46億円）、コザ・ミュージックタウン（29億円）、かんなタラソ（22億円）、読谷村・先進農業支援センター（25億円）、嘉手納《かでな》タウンセンター（１６５億円）、ちゃたんニライセンター（40億円）など46事業にわたっている。[*26]

ちなみに、「経済三団体」の一つ、経済同友会の全国セミナーは毎年全国各地で持ち回り開催されるが、１９９８年の開催地は沖縄で、特別講演は慶應大学の島田晴雄教授だった。同様に、日本観光研究学会全国大会、中小企業家同友会全国協議会定時総会は、１９９７年に沖縄を開催地に選んでいる。２００５年には、世界中の都市で持ち回りされる米州開発銀行の年次総会が沖縄で開催された。多くの「全国大会」が、この時期に奇妙に沖縄に集中しているのは、偶然だろうか？

１９９９年に普天間飛行場の名護市辺野古移設を視野に予算化された「北部振興策」では、２０００年度から14年度までに１０２６億円が計上された。[27]

２０００年には、沖縄戦跡国定公園内に平和祈念資料館が改築オープンした。総事業費約73億円[28]が投じられたこの移転改築事業が決定したのは１９９６年である。

２００４年には沖縄工業高等専門学校が、施設整備予算約１１７億円（土地購入費を除く）を投下して設立されたが、[29]その所在地は名護市辺野古である。

同じく２００４年に、総事業費約１００億円を投じた[30]国立劇場おきなわが開場した。

また同年、２００２年に公布された沖縄振興特別措置法によって設けられた免税店、ＤＦＳギャラリア・沖縄が開業した。国内にいながら免税品の購入ができるのは、今もって日本ではここだけである。

２０１２年には、ノーベル賞を受賞したシドニー・ブレナー博士を理事長に迎えるなどして、沖縄科学技術大学院大学が恩納村に開学した。本学の設立構想が初めに提唱されたのが２００１年。以来、２０１８年度までに１９９０億円が費やされている。[*31]

砂上の観光産業

政府の沖縄に対する経済援助は、観光産業の周辺でも顕著である。

１９９７年には、那覇空港を発着する国内便の着陸料、航行援助施設利用料、燃料税が大幅に減額された。[*32]

大手航空会社が支払う着陸料は莫大な金額である。航空会社にとっては、税制優遇措置のある沖縄路線に、他の路線から就航先を切り替えることで利益が増加する。

すなわち、この税制優遇措置は、沖縄路線の就航数を増加させる効果を有している。

実際、１９９６年と２０００年の比較では、那覇から各主要空港への一日あたりの便数は、羽田８便、福岡５便、伊丹・関空４便増加した。これに呼応するように、沖縄への観光客数はこの年から急カーブを描くように上昇して15年間で倍増している。

１９９７年以前には50万人増加するために約６年（１９９０年〜１９９６年）を要したが、１９９７年以降は、僅《わず》か２年程度しかかかっていない。[*33]

ちなみに、２０２０年に開催される予定だった東京オリンピックに合わせて、２０２０年３月に供用が開始された那覇空港の第二滑走路の総事業費は１９９３億円である。[*34]　この第二滑走路の開発は、仲《なか》井《い》眞《ま》弘多《ひろかず》知事時代に、普天間飛行場の辺野古移設容認の「見返り」として事実上決定された。

この税制優遇措置や空港整備が観光客の増加に寄与することは明らかだが、沖縄では、経済振興に関わる重大な事項ほど、基地問題にかかる政治決定と深く関わっている。

サミットはなぜ沖縄だったか？

２０００年７月、日本で開催されるサミットとしては、初めての地方開催になる九州・沖縄サミットが開かれた。

沖縄は８つの候補地のうち最後発の候補地で、一番不利と見られていたので、大逆転で沖縄に開催地が決まったことは、小《お》渕《ぶち》恵《けい》三《ぞう》総理の政治的英断によると評された。[*35]　米クリントン大統領は、普天間飛行場の県内移設を前進させるために、沖縄サミットが有効だと考え、その実現を小渕総理に迫っていたという。[*36]

普天間飛行場の移設問題がなければ、沖縄サミットは実現していなかったはずだ。

サミットの開催が決まると、大規模なインフラ整備が進められた。

２０００年６月、沖縄自動車道西原ＪＣＴが開通して那覇空港自動車道と接続し、那覇空港からサミット会場となる万国津梁館《ばんこくしんりょうかん》と（隣接する）ザ・ブセナテラスまでの移動利便性が圧倒的に向上した。

沖縄自動車道の利用料金は、政府の「沖縄緊急経済政策」の一環として、１９９９年７月１日から35％程度下げられた。

沖縄の玄関口那覇空港も、海洋博覧会以来の大整備がなされ、サミットに間に合わせるように、１９９９年に最新式の新国内線ターミナルが供用を開始した（１９９６年12月着工）。

１９９９年、首里城跡は国交省・都市景観大賞審査委員会によって、都市景観１００選を受賞。これが伏線となって、２０００年12月、首里城跡をはじめとする９つの遺跡が、「琉球王国のグスク及び関連遺産群」として日本で11番目の世界遺産に登録された。

歴史考証を担当したのは、保守系仲井眞県政を副知事として支えた、高良倉吉《たからくらよし》琉球大学教授である。

同年2000年7月に、「サミットを記念して」、日本では異例の2000円紙幣が発行されたが、紙面には首里城の「守礼門《しゅれいのもん》」が描かれている。

1997年、名護市部瀬名《ぶせな》岬《みさき》に開業したザ・ブセナテラスは、国内でも最高級のリゾートホテルとして開発されたが、宿泊料金も高く、開業当初は経営的に苦しんでいた。2000年のサミット開催は、この苦境を打開するために絶大な効果があったと言えるだろう。

当時の沖縄の「一番館」ザ・ブセナテラスは沖縄観光のプライスリーダーとなった。今まで沖縄に存在しなかった高価格帯のリゾート事業が成功したことは、沖縄全体のリゾート産業に計り知れないプラスの影響を与えた。

ザ・ブセナテラスを経営する、ザ・テラスホテルズの経営主体は、建設最大手の國場《こくば》組《ぐみ》である。國場一族は地元では「キングメーカー」と呼ばれていた存在だ。1998年の沖縄県知事選挙では、保守で新人の稲嶺《いなみね》惠一《けいいち》氏が、革新で現職の大田昌秀知事を破って当選したが、その選挙戦で國場組が大きな役割を果たし、日本政府を大いに安心させたことは想像に難くない。

美ら海水族館

２００２年11月１日、総工事費１４５億円をかけた[*37]、美《ちゅ》ら海《うみ》水族館（新館）がオープンした。これによって、減少を続けていた入館者数は直前の88万人から２６４万人へと激増した[*38]。２００５年にアメリカのジョージア水族館が開館されるまでは世界最大の水族館であり、大水槽を泳ぐジンベエザメやイルカショーが人気で、現在も沖縄の人気観光施設となっている。

現在に至るまで、この施設が沖縄経済に及ぼしている影響は計り知れない。美ら海水族館のある海洋博覧会地区の２０１７年度の入園者数は５００万人を超え、海洋博地区入園者による北部地域観光消費額は１０９０億円、沖縄県全域への経済波及効果は１５６０億円と見積もられている[*39]。

２０１２年度の観光産業の経済効果が６７６７億円であるから、この事業は、実に、観光産業全体の23％に影響を及ぼしていることになる。

美ら海水族館が存在しなければ、沖縄北部の経済はもちろん、沖縄の観光産業は現在とは全く違ったものになっていただろう。

なぜ最も援助を受けている地域が、最も貧困なのか

沖縄で野火のように広がった基地反対運動。これに対してなされた政府主導の強烈な「火消し」の多くは、目に見えない経済援助の形をとった。ここに挙げた事例はそのほんの一部である。そして、それに呼応するように、１９９５年以降、沖縄は目覚ましい「経済発展」を遂げた。

このように、沖縄の経済発展には、ことごとく基地経済と（ときには過剰な）援助の影がつきまとう。

もし、１９９５年の基地反対運動が熱を帯びていなかったら、普天間飛行場の移設問題が浮上していなかったら、

２０００年のサミットは沖縄で開催されていただろうか？

首里城は世界遺産になっていただろうか？

新２０００円札の表面は守礼門だっただろうか？

そもそも2000円札は発行されていただろうか？
沖縄自動車道や那覇空港は今ほど整備されていただろうか？
沖縄のリゾートの価格帯は、現在のような水準だっただろうか？
那覇空港の発着便は、現在の水準にまで激増しただろうか？

このように考えた場合の基地依存型経済の規模は「5％」どころか、県民総所得の相当規模を占めると考えるべきだろう。正確な統計は存在しない。かなり乱暴な私の感覚では、少なく見積もっても県民総所得の25％前後が順当な水準ではないか。先に述べた援助の全てがなかったらと想像すると、ひょっとしたら50％に近いのかもしれない。

そうだとすると沖縄県庁が主張する「5％」の10倍である。

しかし不可解なのは、これだけの経済援助を受け、「経済発展」を遂げている沖縄が、日本最大の貧困社会だということだ。

なぜ、日本で最も援助を受けている地域が、最も貧困なのか？　これは問いの前提に誤りがあると考えるべきではないだろうか？

経済援助は、そのやり方次第では、貧困を解消するよりも増幅させる可能性があるからだ。

沖縄の貧困に関連する問題は、数々のデータが示しているとおりだ[*40]。
約３割に達する子どもの貧困率（１位、全国平均の約２倍[*41]）、給食費未納率（１位[*42]）、一人当たり県民所得（最下位[*43]）、非正規雇用率（１位[*44]）、失業率（２０１８年まで１位[*45]）、離職率（１位[*46]）、若年離職率・失業率・高校・大学卒業後の無業率（１位[*47]）。その背景として、高校・大学進学率（ワースト１位[*48]）、高校中退率（１位[*49]）、10代婚姻率（１位）、10代の出産割合（１位、全国平均の約２倍[*50]）、離婚率（１位[*51]）、デキ婚率（１位[*52]）、シングルマザー世帯出現率（１位、全国平均の約２倍[*53]）、一人親世帯の子どもの貧困率（１位、約58・９％[*54]）……。

沖縄における貧困の直接の原因は、労働者の所得が圧倒的に低いことにある。労働者の平均収入は全国最低水準で、就労者のおよそ18％が１００万円未満、47％（ほぼ２人に１人）は２００万円未満の年収しかない[*55]。

沖縄の所得の低さは、非正規雇用者の圧倒的な多さが直接の原因の一つだ。沖縄県内の非正規雇用率は全国で最も高い43・１％[*56]。労働者が仕事を探そうにも、正規雇用の求人数は全体の約３割しかない。有効求人倍率が１・０倍を超えていても、それは非正規の求人が多いためだ。正規雇用倍率は０・５８倍しかない。全国の正規雇用倍率は１・２１倍だからその約半分だ[*57]。

人手不足と言いながら、少なくともデータ上では「企業が都合よく雇える非正規雇用者が不足している」に過ぎないようにも見える。

この経済的な要因に社会的な要素が加わることで、貧困は爆発的に顕在化する。沖縄は、デキ婚率、若年結婚率、若年出産率、離婚率がそれぞれ全国一だ。これは離婚の多くが子連れであることを意味し、若年出産、若年結婚、若年離婚を通じて多くのシングルマザー世帯が生み出されている。

沖縄ではシングルマザー世帯出現率が全国平均の約2倍ある。

若年の結婚は離婚率も高いから、沖縄のシングルマザーは概して若い。早すぎる出産は、若い親たちから高等教育の機会を奪い、生涯賃金を大幅に引き下げ、貧困を子どもの世代に引き継がせることになる。若い母親の子どももまた、若くして母親になる可能性が高く、多産だ。

シングルマザーの大半は、所得が日本一低い沖縄で非正規雇用者として働くことになり、多くの子どもを引き連れて貧困に陥りやすくなる。沖縄県の子どもの貧困率は全国平均の約2倍、子どもの約3割が「貧困状態」で、特に一人親世帯の子どもの貧困率は58・9％に達している。

沖縄県の出生率は日本で最も高く、少子高齢化時代において好ましいことだと捉えられているが、その裏側にはまったく別の一面があるのだ。

両親の離婚によって子どもは母親に引き取られることが多いが、父親も低収入で、十分な養育費を受け取ることができないシングルマザーは多い。

父親のお金が当てにできなければ、母親が稼ぐ他はないのだが、男性優位社会の沖縄で女性が安定した職業に就くことは難しい。若年出産などによって高等教育を受けていなければなおさらである。

そこで、時給の高い夜の街に働きに出る。水商売で働く女性の大半は子どもを育てていて、そのうちの相当比率はシングルマザーである。

那覇市の繁華街松山の周辺には、子どもを24時間預かる無認可保育園が大量に存在する。「保育園」と言っても教育施設ではない。おやつを食べたりテレビを見たり、遊んだりする場所なのだが、コインパーキングのような気軽さと一晩数千円で預かってくれるこのような施設がなければ、彼女たちの生活は成り立たない。

子どもたちは生まれて間もない頃から、毎晩繁華街に預けられ、深夜お酒の匂いのするお母さんに抱かれて帰る。選挙のたびに話題になる待機児童問題は、沖縄の子育て問題の表層を掻《か》いているにすぎない。

このような問題を乗り越えて昼間働くことを選択する女性も多く存在するが、一人で子どもを育てながら働くことができる職場は限定的だ。

例えば、沖縄では２０１７年までの過去10年間で、コールセンターの事業者数、雇用者数はともに４倍に増加したが、比較的柔軟にシフトが組めるなど、シングルマザーが多い沖縄の社会構造とマッチしたという側面がある。

そもそも、沖縄にコールセンターがこれだけ集中している最大の理由は、人件費が日本で最も安価であるためだが、この構造の下で雇用される従業員の所得が上昇する要素は少ない。

非正規雇用率や離職率の高さもコールセンターの大きな特徴だ。

沖縄の情報通信産業の全雇用者の約７割をコールセンターが占めるが、約４割の社員が非正規社員だ。非正規雇用率は全国平均比の２倍で、沖縄の全業種の中でも突出して高い。２０１６年３月に沖縄総合事務局がコールセンター事業の現状についてまとめた調査結果では、年間の離職率が４割に達することがわかった。[*58]

結果として、日中シングルマザーが働きやすい職場とは、構造的低所得産業に限定されることになる。

学歴の問題もある。中卒、高卒で水商売しかしたことがない、というシングルマザーも多い。コールセンターで任される仕事はそれほど単純ではない。商品の専門知識、言葉遣いやＰＣの操作など、一定の知識と技術、常識が要求される。夜の仕事からコールセンターへの転職を試みても、彼女たちには高いハードルでもある。

対症療法は問題解決ではない

沖縄の経済問題といえば、長い間、本土と沖縄の経済格差のことを指していたが、「革新系」翁《お》長《なが》雄《たけ》志《し》知事が誕生した直後の２０１５年くらいから、沖縄タイムス、琉球新報の沖縄２紙が沖縄県内の貧困問題を本格的に取り上げるようになり、県内の格差に目が向けられるようになってきた。

しかしながら、社会問題への対応が検討されると、ほぼ確実に陥るパターンが存在する。それは、問題の根源を特定して治癒するよりも、対症療法が圧倒的に優先されるということだ。

私たちは、問題に直面すると、その症状を抑えようとする。しかしながら、症状を引き起こしている原因は、別の場所に存在し、多くの場合、目に見えない。

その原因こそ特定しなければ、真の問題解決にはならないはずだ。

例えば沖縄の子どもの貧困問題で、現在までに提案されている「問題解決」は、教育費用の援助、学習支援員の確保、給食費の無料化、子ども食堂、給付型奨学金、ソーシャルワーカーの充実、母子家庭の生活支援施設の設置や公共住宅への優先入居制度、子どもの居場所作りのための児童館の設置、子ども医療費助成、などであろうか。

そのすべては重要なものであり、対応が進むことで助けられる人たちが多数存在することは間違いない。その意義は決して軽んじられるべきではない。しかし同時に、このいずれもが貧困問題の対症療法にすぎず、貧困という症状を緩和する目先の効果しかない。

私たちが直視しなければならないのは、例えば給食費や教育費や医療費のすべてが無料化されても、あるいは仮に所得が完全に保障されたとしても、それは貧困を緩和するだけであって、決して解決しないという事実である。

対症療法は問題解決ではない。モグラ叩きとモグラの根絶は全く意味が違う。貧困に対処することと貧困の治癒は別の概念である。

このシンプルな真実は世の中で最も過小評価されている考え方の一つだ。

しかし、両者は頻繁に混同され、驚くほど多くの対症療法が社会に溢れている。このため、多くの有能な労働者たちが、勝利できない戦いを強いられ、不毛な仕事を大量に抱えて疲弊している。

組織のトップたちがこの違いを認識して、意思決定に反映することができれば、社会は飛躍的に豊かになるはずだ。

それにもかかわらず対症療法が常に重要視されるのには、はっきりとしたいくつかの理由がある。

第一に、対症療法は、現実に症状を和らげるからだ。

貧困で苦しんでいる人たちがお金を受け取れば、当事者たちは、少なくともその瞬間、苦しみから解放される（ように感じられる）。

第二に、貧困を目にしたら資金援助したくなるのは人情だ。

目の前の痛みを和らげようとすることは、人間にとって本能的なものだから、その衝動は自然なものだろう。目の前で人が苦しんでいるときに、「援助の弊害」などと言い出せば、なんだかとても冷たい人間であるかのようだ。

第三に、対症療法は評価されるからだ。

短期的な成果が上がれば、政治家は票を増やし、役人は昇進し、コンサルタントは補助金を獲得し、ソーシャルワーカーは目の前の人たちから直接感謝される。

そして第四に、対症療法の魅力は、何と言ってもそのわかりやすさだ。

貧困は所得不足によるものだから、お金を渡せば「問題解決」するという、「自明の論理」である。問題がわかりやすく定義されていれば、県民からの賛同も得やすくなる。基本的に誰も反対する人がいないので、実行しやすい。人的、資金的な協力を得ることも容易で、補助金を引き出す手段としても有効だ。

行政を動かすのは政治であり、政治家は良くも悪くも票を意識して行動せざるを得ない。そして、票を獲得する有効な手法の一つが、予算と補助金の獲得であることは誰も否定できないだろう。

予算がなければ行政も動けない。行政からお声がかかる大学教授ら「識者」たちも、意識的・無意識的に行政の事情を汲んで彼らの活動をバックアップする発言をするから、対症療法にお墨付きが与えられる。

ソーシャルワーカーやボランティアや教育関係者など、現場で尽力されている多くの人々は、目の前で苦しんでいる人たちに資金を提供できる。手を差し伸べられる貧困家庭にとってのメリットはいうまでもない。

実は、対症療法に反対する理由が存在しないということが、対症療法の最大の問題なのだ。すなわち、補助金を投下する対症療法は、（少なくとも短期的には）ほとんどすべての人の利益に適うのだ。これが貧困問題の隠れた最大の問題である。

一方で、複雑な問題の本質を理解するには時間がかかるし、効果も見えにくく、組織的に評価もされないため、多くの人の意識が対症療法に向けられるということもある。

結果として、これらの対症療法は、貧困者を経済的な自立に向かわせるどころか、さらなる依存を招いて、長期的には貧困状態をさらに悪化させることになる。オリオンビールと同じだ。社会では対症療法がもてはやされ、成果を上げたものがより高い地位につく。彼らには「もっと対症療法をせよ」と圧力がかけられる。大量の副作用が生じて社会の生産性が低下する一方で、税金が非効率に投下され、公的債務は増加を続けていく。

私たちは、本当の問題が何かを知らない

対症療法は、成果がはっきり目に見える。その一方で、副作用は非常にわかりにくい。貧困者が、今日援助を受けて温かい食事をとれれば、その成果は誰の目にも明らかだが、援助に依存して自律心を失ってしまう心の中の副作用は目に見えない。

この問題をとても深くしているのは、見えない副作用が生み出す問題が、時間も場所も規模も症状も違う形で表面化することだ。

対症療法で目に見える（短期的な）成果を上げた人は、評価されて次のポジションへと昇進して行く。後任者がその地位についたところで、「形を変えた問題」が発生する。……それは、前任者の対症療法が原因となって引き起こした「副作用」だ。

新しい担当者は、これが前任者が引き起こしたものだとは気がつかないから、「新たな問題発生」と認識して、予算をつけ、人員を配置し、さらなる対症療法を行い、目に見えない長期的な副作用を生じさせ、目に見える短期的な成果を上げて評価を得る。

つまり、短期的な成果が評価される一方で、長期的な副作用については誰も責任を問われないのだ。

この循環によって、対症療法に長けたリーダーが社会で登用されて地位と権限を持ち、現場ではモグラ叩きのような対症療法が繰り返され、社会は疲弊し、弱者に負担が集中する。

対症療法とは、「見えない副作用を撒き散らすが、短期的な成果を上げて、大いに他人から評価される仕事」だ。リーダーの多くが（無意識に）対症療法を選択してきたその結果が、今の私たちの社会である。

対症療法で成果を上げている人たちは、目に見える直接の因果関係に原因があると思いがちだが、多くの場合、原因は症状とは全く別のところに存在する。その原因を解消しなければ本当の問題解決にはならないはずだ。

それにもかかわらず、私たちの多くは、症状を取り除くことだけに関心を寄せる。

症状には原因がある。その原因にもまた原因がある。そしてその原因の原因の原因……と問題を掘り下げていけば、やがて問題の本質が見えてくる。

貧困という「症状」には、非正規雇用という直接の「原因」があるかもしれないが、これらの原因にもまた原因が存在する。

労働者が非正規雇用で働いている原因は、その企業の雇用主が正社員登用の必要性を感じていないからかもしれない。さらにその原因は、付加価値の高い仕事をこなす正社員がいなくても十分に利益が出ているからなのかもしれないし、市場において寡占的な利益を享受しているからかもしれない……。

このように、原因を一つずつたどっていくことで、隠された本当の原因、すなわち「根本原因」に近づくことができる。

私たちはいくつもの問題を抱えている。社会の問題を細かく数えていけば、１００も１０００もあるかもしれない。多くの問題にモグラ叩きのように「対症」していくことは、時間も費用もかかり、現場も疲弊するばかりで生産性が極めて低い（実際、日本は生産性の低い国だ）。

１００ある症状をたどると、50の原因があるかもしれない。一つの原因が複数の症状を生み出していることがあり得るからだ。そしてまた、その50の原因をたどると20の原因の原因、さらには、10の原因の原因の原因、そして少数の原因の原因の原因の原因を特定することができるかもしれない。

これが根本原因である。

根本原因を見つけることは時間がかかる作業だが、その価値は計り知れない。少数の根本原因に対処することで、１００ある症状を解消することが可能だ。これが、問題解決ということの本当の意味だろう。

つまり、問題解決を行う上での最大の問題は、私たちはそもそも本当の（根源的な、という意味だが）問題が何かを知らない、ということなのだ。

私たちは根本原因の特定に多くの時間を費やすべきだ。私たちが問題だと思っていることの恐らくほとんどは、単に症状であって本当の問題ではない。根本原因を特定していない状態でなされる「問題解決」はすべて対症療法に過ぎない。

問題解決の第一歩は、根本原因の特定である。

本書では、沖縄の貧困問題の根源的な原因を特定して、対症療法を超える問題解決の道筋を模索したい。問題の根本原因についての興味深い真実が見つかると思う。

原因の原因の原因……を突き詰めていくと、多くの場合、それは自分自身の中に戻ってくる。沖縄の根本原因を突き詰める旅は、日本の根本原因を突き詰める旅でもあり、そして、私たち自身を見つめる旅になるだろう。

正しく問う、それが全てだ

根本原因を特定するために何よりも大切なことは、答えを見つけることではない。正しく問うことである。問い方次第で、答えは劇的に変わってしまうからだ。

私の大学での経験を例にして説明しよう。

毎年1年生向けに開講している『幸福論』で、私は、学生たちにこんな質問をする。

「今みなさんが座っているところから周囲を見渡して、緑色のものをできるだけたくさん見つけてください。時間は30秒です」

その後、全員に目をつぶってもらい、もう一度、問いかける。

「教室の中で、赤色のものを教えてください」

緑色のものを探していて、不意をつかれた学生は、教室の中の赤色のものがほとんど答えられない。ざわつく学生に、私の意図を伝える。

「それでは、もう一度周囲を見渡して、赤色のものを指差してください。たくさんありますね。これだけたくさんの赤が教室の中にありながら、ほとんどの人は、それを特定することができませんでした。教室をしっかり見回し、完全に視界に入っていたはずなのに、誰の記憶にも残らない。それどころか、存在すら認識されなかった」

「その理由は、明らかでしょう」

「私が、みなさんに、緑色のものを探してくれと、問うたからです」

「私たちは、世界をありのままに見ていると思っていますが、それは違います。私たちの問いが、私たちの現実を作り出すのです」

「だからこそ、問題に直面したとき、正しい答えを探すよりも前に、まず、正しく問わなければならないのです。正しい問いこそが、可能性を切り開くのです」

潜在力（羽）を持ちながら、十分に自分を生きられない（羽ばたかない）ように見える学生たちを見れば、

「どうしたら、彼らをやる気にさせられるだろう？」

と問いたくなる。

しかしながら、その問いからは、「やる気のない人間をやる気にさせる」ための答えしか生まれない。この問い自体が、「やる気のない人間」を前提としているからだ。

間違った問いから、正しい答えは導かれない。長い間、そして現在も、このような問いによって、多くの子どもたちの可能性が閉ざされてきた。

正しい答えを導くために、私たちは、問い方を変えるべきなのだ。それは、例えば、「本来やる気のある、彼らの情熱を奪っているものは何だろう？」と問うことだ。

この問いは、「子どもたちは例外なく、最高の可能性を秘めている存在だ」ということを前提としている。この問いによって、「子どもたちの力を妨げているもの」に、私たちの意識が向く。すると、正しい答えが見えてくる。

本当の問題は、子どもではなく、子どもを取り巻く大人と社会のほうにこそある。

社会問題も同じだ。

沖縄は長年、自分たちが被害者だという前提で、問題を解決しようとしてきた。そのことが沖縄の問題解決を遠ざけてきたとしたらどうだろう。

私たちは、問い方を変えるべきなのかもしれない。

沖縄社会の中に問題の原因があるとするなら、それはどういうものだろう？

第2章

人間関係の経済

クラクションを「鳴らせない」

沖縄を訪れる観光客は、どれだけ道が混雑していても、誰もクラクションを鳴らさない[*1]ことに気がつくと、「沖縄の人たちはなんて優しいんだ」と感動する。世界中どこの都市でも街の音と言えばクラクション。那覇市は人口あたりの街の騒音が最も低い都市の一つではないかと思うくらいだ。

ところが、沖縄で暮らして何年か経過すると、これはクラクションを「鳴らさない」というよりも、「鳴らせない」状態に近いということを理解しはじめる。

車を運転している私が、往来の激しい国道で、違法に右折しようとしている車を見つけてクラクションを鳴らすと、周囲は違法運転をしている前の車ではなく、私の方を一斉に見る。違法運転している者を咎《とが》めるのではなく、それに対して声を上げた者に対して暗黙の批判が向けられる。「今鳴らしたのは誰だ！」という無言のメッセージが私に突き刺さる。

この瞬間、私は違法運転者から迷惑を被った「被害者」ではなく、クラクションを鳴らした「加害者」になる。

沖縄社会で「加害者」のレッテルを貼られることほど最悪なことはない。

ある本土人が、沖縄人《ウチナーンチュ》の友人を乗せて車を運転したときの話をしてくれた。

その本土人が迷惑な車に対し、何気なくクラクションを鳴らしたとき、そのウチナーンチュの友人が慌てて「あぃ、いま、なんで鳴らす！」と悲鳴をあげた、その慌てぶりに彼の方が驚いたのだという。なぜそのウチナーンチュが、とても迷惑そうな居心地の悪そうな態度を取ったのか。それは、クラクションを鳴らす「加害者」の本土人の「共犯」とみなされてしまうと、様々な不都合が生じるからだ。

もし私が毎日クラクションを鳴らしながら生活をすれば、プライバシーが事実上存在しない沖縄社会で、「樋口さんは怖い人さーねー」という噂、あるいは言葉にならないニュアンスがなんとなく広まり、やがて私の周りから人影が少なくなっていく。

このルールは、本土人の目には見えない地雷（?）のようなもので、「沖縄の空気」を読めずにいると怪我をする。

この原則に抵触する人は、沖縄で長期間存続することができない。ウチナーンチュは、「地雷」の怖さをよく理解しているので、それを避けるための感性が研ぎすまされている。

そういう私にも数多くの痛い経験がある。

例えば、ある経済界の会合で、沖縄の教育問題を議論する場があり、私が指名されたので、現場における問題を率直に語ったことがある。会場の空気が凍りついたその瞬間、その場にいた「重鎮」の一人が口を開き、「私も学生と接したことがあるが、どうしてどうして、素晴らしい時間でしたよ」と述べた。

会場は一気に和み、「樋口の言いがかりを、重鎮がうまく収めてくれた」という雰囲気になった。クラクションを鳴らした私は加害者になり、重鎮はさらなる尊敬を集め、「沖縄の教育問題は存在しない」ということになった。

沖縄社会は、現状維持が鉄則で、同調圧力が強く、出る杭の存在を許さない。

この社会習慣は、人が個性を発揮しづらく、お互いが切磋琢磨できず、成長しようとする若者から挑戦と失敗の機会を奪うという、重大な弊害を生んでいる。善意を持って注意すること、学生に厳しく叱ること、部下に仕事を徹底して教えること、友人に欠点を指摘すること、将来のために現実的な議論を戦わせることなどの多くが、沖縄では最も困難なことだ。

はっきりとした物言いをする人に対しては、表面上はやんわり、目には見えないほどの微妙さで、その発言を取り消せと言わんばかりの強い同調圧力がかかる。

だから、自分の意見は常に他人の出方を見てから言う。

自分の意見が際立つくらいなら、いっそ意見を持たない方がいい。うかつに意見を述べると、クラクションを鳴らして、自分が「加害者」になってしまうからだ。

不用意に声を上げてしまえば「悪気がなかった」では済まされない。意図していなくても、人の気分を害してしまえば厳しい結果を招く。

このため、沖縄社会に生きる人たちは、発言するときに、自分の考えを表明するよりも、他人がどう感じるかについて、慎重に間合いを取る傾向が強い。

全国を回って講演をしているあるセミナー講師が、「講演会でも、イベントでも、沖縄は全国的に最も笑いやウケを取りにくい地域の一つだ」と語ったことがあった。それはウチナーンチュが周囲から浮き上がることを恐れるからだろう。

クラクションを鳴らすことができない沖縄社会では、人と異なる態度を取ることが難しい。人からのちょっとした誘いに対しても、面と向かって断ることはできない。

少々大げさな表現をすれば、そこには人間関係に対する絶縁状のような感覚が含まれていて、断られた方は「裏切られた」と解釈しかねない。「横のつながり」が緊密な沖縄では、小さなクラクションが思わぬ波及効果を生んでしまう。

ある学生が私に自分の体験を語ってくれた。「大学4年生になって将来のことを考えるようになり、少しは勉強する時間を確保しようと思って、いつもは断らない飲み会の誘いを1回断ったら、別々の友人7人から連絡が来なくなった」という。狭い社会で、人間関係を分断してしまえば、あっという間に居場所を失うリスクがある。

「なぜもっと勉強しないのか？」と学生に苛立つ大人がいる。しかし、学生にとって「一人で勉強する」という単純な行為が、実際にはそれほど単純ではないことを理解しなければ、沖縄では教育問題一つ解決しない。

沖縄には模合《もあい》という頼母子講《たのもしこう》が根強く残っているが、中には「学生時代から40年間続いている」といったものも珍しくない。

典型的には月に1回、同級生が経営するレストランに十数名が集まり、食事をしながら毎回変わらない話をする、というような会だ。それは、単なる親睦のみならず、レストランを経営する（40年前の）同級生への経済援助といった役割も果たしている。

そのような模合メンバーの一人が私に「いつも同じメニューで、正直なところあまり美味しいとも感じない。だから人知れず自宅で食事をしてから参加するんです」と語ってくれたことがある。

だからといって模合から脱会すれば、40年来の友人に対する「裏切り」となり、彼との信頼関係を壊すだけでなく、模合を通じて複雑につながっている無数の人間関係に同様のメッセージを発することになる。

この場合もむろん、脱会した方が「加害者」であり、裏切られたレストランオーナーは「被害者」である。

見えない社会構造を明らかにする

青い海、青い空、開放的な南国リゾート、島の素朴な人たち……現実の沖縄は、こういった一般的なイメージとはずいぶん違った別の顔を持っている。

貧困問題は、水面下に沈んでいる巨大な社会構造の上に、少しだけ顔を現わしている氷山の一角に過ぎない。貧困の根本原因を探るためには、沖縄の見えない社会構造を理解しなければならないだろう。

貧困を生み出している沖縄の社会構造は、

①労働者
②消費者
③経営者

の三者の利害が合致することで成り立っている。

そして、これらの利害を強固につなぎ合わせているのが、クラクションの話に代表されるような、現状維持を優先し、他人にNOと言えない、沖縄社会の人間関係だ。

この議論を進める前に、大切なことをきちんと言葉にしたい。

沖縄社会には多様な人たちが暮らしている。当然のことだが、「クラクションを鳴らさない」という傾向が、沖縄の人のすべてに当てはまることなどあり得ない。私の論考について反論する人の多くは、自分の体験に照らし合わせて「まったくピンとこない」という。

そして、その人の感覚はおそらく正しい。

しかしながら、沖縄社会と貧困問題を理解する上で重要なのは、ある個人がそう感じるかどうかではなく、そう感じる人が社会的、経済的傾向を生むほど一定数存在するかどうかだ。実際、この論考に対して「正にその通り！」という感想は驚くくらい多いのだ。

本書の目的は、沖縄の貧困を生み出す根本原因を明らかにし、真の問題解決の処方箋を描くことにある。その過程で、沖縄の社会的な傾向や、ウチナーンチュの心の問題に深く踏み込むが、それは、問題の本質を理解するための手段としてであって、目的ではない。まして、沖縄社会を非難するものでも中傷するものでもない。

例えて言えば、外側からは見えない、本人も気づいていない、病気の根本原因を見つけるために、ＣＴスキャンを試みるようなものだ。診断には勇気が必要だ。腫瘍など、患者が見たくないものを見つけてしまえば、中には怒り出す患者もいるだろう。誤診によって人を傷つける可能性だってある。

それでも医者が診断するのは、それらのリスクを超えて価値あることだからだ。

昇進を辞退する労働者

貧困とは、一義的には所得が低いことである。そして、所得が低いことのさらに一義的な原因は、経営者が従業員に十分な賃金を支払わないからだ。

しかしながら、経営者だけが悪者かといえば、ことはそれほど単純ではない。沖縄の労働者はまるで自分から貧困を選択するかのような行動をとりがちなのだ。

沖縄の社会構造を支える第一の登場人物は、「昇進、昇給を望まない労働者」である。それが、貧困状態であっても、だ。

沖縄の場合、経営者が従業員に報酬を支払わない、という以上に、従業員が報酬を受け取らないという、驚くべき傾向がある。沖縄で人材登用を進めようとしても、そもそも有能な人材が管理職になりたがらないし、パートも正社員になりたがらない（もちろん、すべての人がそうだということはあり得ないし、実数で測れば昇進を断る人の方が少数かもしれない。しかし、これが本土の組織だったら、そんな人が一人でも存在すればニュースになるだろう）。

以前、事業再生の仕事をしていた私が沖縄でホテルを取得して経営を始めたとき、非正規雇用者の多さに驚き、約１００名の非正規雇用者の中から特に有能な十数名を選んで、正規雇用への切り替えを提案したことがあった。

想定外だったのは、少なくない人数の従業員がこれを辞退してきたことだ。昇進・昇給の機会を提示されて、それを断る従業員が存在する、という事実に私は面食らった。

本土経営者たちは、このような現象を見て、「ウチナーンチュは向上心がない」と結論づけるのだが、ウチナーンチュの立場で、ある意味「そうならざるを得ない」事情にまでは理解が及ばない。

彼らはもちろん、昇進を喜ばないわけでもないし、お金が欲しくないわけでもない。しかし、リーダーになるメリットよりも、デメリットの方を強く感じているのだ。

その理由の第一は、おそらく、責任ある立場に置かれて目立ってしまったり、同僚に注意・指摘しなければならない役割を果たしたり、（本土）経営者の意向で同僚に接しなければならなくなることが、クラクションを鳴らすことになってしまうからだ。

いつも一緒にお弁当を食べている非正規雇用の同僚の中から一人が正社員に登用されたとする。上下関係が生まれてしまうと、一緒にお昼を楽しむことが難しくなる。

授業で学生たちから集めたコメントにも、同様の特徴が見られる（冗長さを避けるため、私が少しまとめたコメントを掲載する。彼らの言葉からは、沖縄社会で生きる息苦しさがリアルに伝わってくる）。

・常に周りに合わせて行動しなければならない。思えば「人より何か目立っている人、違うことをする人が仲間はずれになるんだ」と幼いころから感じていた。

・少し普通の人と違う人がクラスにいると、「あの子と合わない」「めんどくさい」などと陰口を言う。その子がくれば何事もなかったように笑顔で普通に話をする。

・小中学校の時特に、みださー（場を乱す人）と言われることを恐れて何もできないことが多かった。人より何か目立っている人、違うことをする人が仲間外れになりやすい。

・友人数名と食事にいったとき、自分一人だけみんなと違うものを食べようとしたときに、みださーと言われた。沖縄でみださーと呼ばれる人は、自己中だというレッテルを貼られる。

人間関係が緊密な「シマ社会」沖縄において、周囲への気遣いは何よりも重要である。沖縄社会で一旦人間関係がこじれると、周囲の人間関係を巻き込んで、一生の問題になり得る。人に対して鳴らした何気ないクラクションで人間関係をこじらせてしまえば、この狭いシマで自分の居場所がなくなってしまう。

人間関係に波風を立てないためには、現状を維持することが安全な選択である。つまり、昇進や報酬を断ることには合理性が存在するのだ。

できるものいじめ

ウチナーンチュがリーダーになることを避ける第二の理由は、沖縄では、物事を変える人、社会を発展させる人に対して（目に見えない、しかしはっきりとした）同調圧力がかかるからだ。

乱暴な一般化を試みると、本土のいじめは「弱いものいじめ」である。仕事のできないもの、いつまでも学ばないもの、やる気のないものに強い圧力がかかる。

これに対して、沖縄のいじめは「できるものいじめ」だ。個性的な人物、一所懸命でまわりが見えていない人物、悪意なくクラクションを鳴らしてしまうタイプがターゲットになりやすい。

だからだと思うが、私が見る限り、周囲から激しく叩かれて自信をなくし、自己肯定感を失って心を病んでいるウチナーンチュは、もともと個性的で魅力的な人物が多い。社会の宝ともいうべき、ユニークで能力の高い人たちが、沖縄社会ではとても粗末にされていたりする（無意識だ）。

沖縄社会では、人の個性よりも、周囲とのバランスが遥かに重視されるから、能力の高い人は社会のバランスを崩してしまう「悪者」だ。

教室で質問するだけで、「あいつはいいカッコしている」という空気が生まれる。沖縄社会では、優等生になることも、成功することも、人前で誰かに優しくすることも、自分の意見を声にすることも難しい。

２０１８年10月29日に放映された日本テレビ系のバラエティ番組『月曜から夜ふかし』で、沖縄社会では、勉強に熱心な子どもをマーメー（マメ、真面目）と呼んで軽蔑する風潮があることを取り上げていた。

沖縄で「マーメー」と呼ばれるのは最大級の侮辱で、子どもたちが勉強に対して消極的になり、全国最低水準の学力にとどまる主因になっていることを示唆した内容だった。

・誰も意見しない中で、意見を言えばディキヤーフージー（優等生ぶっている）と言われる。

・小中学校で一般的だったことは、授業中先生から「何か質問はありませんか？」と聞かれ、誰一人答えようとしない中で質問をすると、「あいつマーメーだな」と非難される。聞きたいことを聞くだけのことができない。

・テストの前日に友達からの遊びの誘いを断ると、後日「やっぱりナイチャー（本土人）は少し違うね」と言われた。（本土出身の学生）

・自分より優れていたり、優位なところにいたり、ないものを持っている人をいじめの標的にする傾向があると思う。

・バレエ教室の先輩がいじめられた。彼女はとてもバレエが好きだったが、言葉のいじめに耐えきれず、泣きながら辞めたいと親に訴えた。バレエが特別上手ではなかったが、底抜けに明るくてみんなに好かれる性格だった。そのことが、ターゲットにされた理由かもしれない。

頑張る人（ディキヤーフージー）は、周囲の空気を悪くする。そのような環境では、あえて成功しようという動機付けが生まれず、いかに失敗を避けるかが重要な関心ごとになる。失敗を避けるために最も有効な方法が、現状維持であることは言うまでもない。

この空気感は、日常の色々な出来事に現われる。

例えば、私が教える沖縄大学では、講義が始まるまで、何十人もの学生が、暗い教室の中で電気がつくのを待っている。こんなことが週に何度もある。前に出て皆のために電気をつけると、周囲から真面目ぶっていると思われそうで嫌だ、というのがその理由だ。

学生たちと対話を重ねるほど、彼らが周囲の意見や、目線や、批判に対して驚くほど敏感で、他人の気分を害することを何よりも恐れていることがわかる。「人の気分を害するくらいなら、何もしないほうがいい」という行動原則だ。

大胆なアイディア、売り上げを飛躍的に増加させる営業努力、経営を別次元に進めるイノベーションなどは、沖縄のタブーである。周囲が「できない人」だらけであれば問題は生じない。グループに一人「できる人」が加わると、ものごとを変えることになる。これを避けるために、組織内に「できる人」を排除する圧力が生じる。

・バイト先で、英語が喋れることが知られるといじめられるので、ひた隠しにしていた。ある日、外国人のお客様が困っていたので、つい英語で橋渡しをしてあげた。それ以後気まずい雰囲気が漂うようになって、間もなくそのバイトを辞めた。

・今やっているバイトが1年経ち、ほとんどすべての仕事ができるようになったため、社員と同じ業務をやらせてもらっている。何か新しい仕事がしたかったからだ。ところが最近、一番仲の良い高校の同級生の私に対する態度がとても冷たくなった。口では言わないが、私が社員業務をしていることに不満があるのだと思う。そのことで私は今悩んでいる。

・県外から来た子は、必ずどこかのタイミングで嫌われる。雰囲気や発言、態度が個性的で、積極的な子ほど孤立し、いじめられた。沖縄のできるものいじめは小学校の時からあり、それが普通になってしまっている。沖縄の人の、常に周りに合わせる性格が出来てしまうのはこのためではないか。

沖縄は「優しい」社会だと言われる。

コンビニで待たされても怒らないし、レストランでぞんざいな仕打ちを受けてもクレームする顧客はほとんどいない。待ち合わせをすっぽかされても嫌味の一つも言わない。友人に貸したお金が返ってこなくても催促しないし、ＡＴＭの順番待ちの列に人が割り込んでも、声をあげる人の方が少ないだろう。

すでに述べたように、「クラクションを鳴らさない」穏やかで優しい人柄の裏側には、「クラクションを鳴らせない」というもう一つの理由がある。事情がどうであれ、声をあげる人物に社会的な圧力がかかるからだ。

このことを理解せずに、沖縄の経済と貧困の本質を捉えることは難しい。

暗黙の反抗、サボタージュ

ウチナーンチュがリーダーになりたがらない第三の、そしておそらく最大の理由は、沖縄社会でリーダーシップを発揮する（つまり、物事を変えることの）難しさを身にしみて知っていることだ。

沖縄では、違和感のある人に対抗する典型的な手段の一つが「行動を止めること」だ。多くの場合は無意識である。ウチナーンチュは現状維持を好み、人から指示されることを嫌うから、他人（上司）から圧力がかかると行動が鈍る。そんな意図はないのかもしれないが、仕事が停滞して、結果としてサボタージュのような状況になる。

・私はサークルの副部長を務めており、練習の希望日を全員にＬＩＮＥで尋ねても、誰一人として返信してくれる人がいなかった。メンバーの一人に理由を聞いたら、「誰も答えんから気まずい」と言っていた。自分が意見を言うと、周りの人に自己中だと思われることを恐れ、誰かが答えるのを待っている。こういう状況が当たり前。沖縄には学力向上よりもまず先にそういった部分をなくしていけるような環境づくりが大切だと思う。

沖縄社会では、仕事ぶりが鈍くても周囲から責められにくい。このサボタージュは無意識で、わざとそうしているわけではない。これを叱責すると「クラクションを鳴らした」方が悪者になる。「弱いものいじめ」をするものは、沖縄社会では生きていけないから、結局何もしない部下の方が強いのだ。

だからと言って、リーダーがクラクションを鳴らさなければ、現状維持の原則に従って本当に何も起こらない。リーダーは成果を上げられず、部下や同僚から疎まれ、責任ばかりをかぶることになる。

それを知っているから、多くのウチナーンチュは自らリーダーになろうとは思わない。

「いいやつなんです」

物事を変えることの難しさについては、以前こんなことがあった。

私が主宰していた『次世代金融講座』の懇親会でのことだ。

私は食べることに大いに関心がある。もう10年以上、添加物の入った食品はほぼ食べていないし、入手できるときは常に有機野菜を選んでいる。米や肉も日本全国から厳選したものを取り寄せている。

講義の後の懇親会で、そんな食材と「究極のレシピ」で手作りした食事を振る舞った。

提供する食事の原価が高いから、無駄にならないようにと事前に出席を確認するメールを何度か送るのだが、返信がないメンバーが必ずいる。

ある銀行員たちからの返信がそれまで何度も滞っていたので、一度思い切って、先輩格の行員に指摘したことがある。先輩行員と私は、長い間の知人であり、率直な会話ができる間柄だ。

「彼らが忙しいのはわかるが、小さな連絡ごとに誠実に対応できなければ、大きな失敗につながるのではないか？」

私が彼から期待していた返答は、例えば、「ご迷惑をおかけして済みませんでした。今度機会がある時に、彼らときちんと話してみます」だったのだが、彼が私に返した言葉が想定外だった。

「いいえ、彼らはいいやつなんですよ」

この返答の意味を、私はしばらく理解できずにいたのだが、それから数年が経った今、「樋口さん、そんなことで彼らのことを攻撃してはダメですよ」という意味だということが分かる。

「樋口さんは、厳しくて冷たい人ですね」あるいは、「優しくないと、沖縄ではやっていけないですよ」というニュアンスが含まれていたかもしれない。

この、たった一言にはいくつかの効果がある。

第一に、後輩の問題行動を、黙認すること。

第二に、後輩の問題を、私の問題にすり替えること。

そして第三に、私が、いつの間にか加害者に、後輩が被害者になっていること。

一言でまとめれば、その先輩が、後輩行員に意見すること（クラクションを鳴らすこと）を避けるために、私に圧力をかけたのだ。

彼にそんな自覚はない。沖縄社会の同調圧力は、このように、かなり微妙な空気感によって伝達される。

もちろん、沖縄社会は、この場合、何もしない後輩行員の味方である。クラクションを鳴らした私は加害者であり、「冷たい人」というレッテルが貼られる。それを嫌って私が口をつぐめば、社会は現状維持されるのだ。

平凡な「定番」が異様に売れる市場

ここまで、沖縄の社会構造を支える第一の登場人物、「昇進・昇給を望まない労働者」について触れてきた。第二の登場人物は、「定番商品を買い続ける消費者」である。

沖縄では、平凡な商品が異様なロングセラーであることが少なくない。例えば、女優の松山容子がパッケージになっている初代「ボンカレー」がいまだに販売されているのは、ほとんど沖縄だけだ。ボンカレーの公式サイトでも、「沖縄限定」版が独立した商品として販売されている。

その他にも、カップ麺といえば「金ちゃんヌードル」、ステーキに必須の「Ａ１ソース」、沖縄で「ポーク」と呼ばれるランチョンミートなど、例を挙げればきりがないくらいだ。

以前興味深い記事を見つけた。沖縄で酢といえば「まるこめ酢」。味噌の話ではない。沖縄では、刺身を食べるときにもまるこめ酢を使う。

スーパーのある店舗では、まるこめ酢の売り上げが他社商品全体の５倍以上。他の有名ブランドが束になってかかってもかなわない。ニーズが高く、仕入れておけば必ず売れる堅い商品だ。[*2]

それにしても、沖縄の定番商品はなぜ売れ続けるのだろう。

より高品質な商品や、逆に安価なものはいくらでもあるので、品質が良いから、あるいは、価格が安いからという理由で選ばれているのではなさそうだ。

また、愛県精神の強いウチナーンチュのイメージからすれば意外なことだが、地元製品だからという理由で選んでいるわけでもない。

ボンカレー（大阪府）、金ちゃんヌードル（徳島県）、Ａ１ソース（イギリス製）、ポーク（アメリカ製のＳＰＡＭまたはデンマーク製のチューリップ）と同様に、まるこめ酢は県産品ではない。鹿児島県の株式会社マグマという会社が製造しているのだが、同社はまるこめ酢以外の商品を作らず、実に95%を沖縄に出荷しているという。

沖縄県産品だからという理由でウチナーンチュが特定のブランドにこだわるという分析は疑わしい。

この現象をどう説明したらいいのだろう？

私はこの不思議な「定番」現象について、長い間頭を悩ませた。

売れる理由が、商品性でもない、価格でもない、地元産だからでもない、唯一残る可能性は、「いつも買っているから」「みんなが買っているから」「人間関係があるから」、つまり、商品を選んでいないからではないだろうか。そうでなければ、これらの商品が沖縄の定番になっていることの説明がつかないのだ。

自己主張することが難しく、他人の感情を害さないように、細心の注意を払わなければならない沖縄社会では、商品よりもサービスよりも時には価格よりも、人間関係のバランスによって経済が動く。

沖縄の「人間関係の経済」は、大きく分類して二種類の消費性向を生み出していると思う。

第一の消費性向は、周囲から目立たないように、出る杭にならないように、という動機によるものだ。

・飲み会で泡盛ではなく、ウィスキーを頼もうものなら、非難囂々《ごうごう》。

・お腹が空いていなくても、みんなが食事しに行くというので、一緒に行ってご飯を食べる。携帯を買い換える際、iPhoneを持っている人が多いので、アンドロイドスマホよりiPhoneを選ぶ。

・ファッションも個性的なものより、一般的なものを選ぶときが多い。私は何かを選択するとき、自分の好き嫌いや利益などと同時に、これを選択したら人にどう思われるかを考えてしまう。自分の気持ちや個性を抑えて、人に合わせてしまうことが日常的に多々ある。

・洗練された雰囲気のあるレストランに入ることを躊躇してしまう。おしゃれなレストランに出入りしていると周囲から見られると、変な空気になるから。

学生に、自宅でまるこめ酢（あるいは、その他の「定番商品」）を使っているかどうかを聞いたことがある。ＹＥＳと答えた学生に対してその理由を聞いた。その時の典型的な答えは次のようなものだ。

・まるこめ酢でなければ、父が怒る。グチグチ文句を言われ続け、ずっと不機嫌でいられるよりも、黙ってごはんを食べてもらいたいので使っている。同じものを使い続けなければ家庭に平和が訪れない。

・親や周囲がそうしているから、それに反するものは買えない。商品の内容や良し悪しは、気にしないし、考えない。

・昔から使っているものを選べば（人間関係で）失敗することがない。失敗すると人間関係に問題が生じる可能性もあるから。

ベンツでなく、あえてクラウン・マジェスタ

以前、私の知人が、「新車を買ったから見て欲しい」ととても嬉しそうに言うので、彼に連れられて車を見に行った。彼は沖縄の有名企業の2代目経営者で、グループ企業の利益は数十億だ。もちろんお金には困っていない。

私は、彼がどんな車を買ったのか興味津々だった。ベンツか、レクサスか、ひょっとするとジャガーかと想像していたのだが、パーキングに停めてあった車は、トヨタのクラウン・マジェスタだった。

ちなみに、マジェスタのグレードは、レクサスとクラウンの中間として位置付けられている。クラウンよりは上位だが、レクサスほど高級ではない。

この出来事は、もう何年も前のことだ。当時はよく理解できなかったのだが、今になって、彼の選択の意味がわかる気がする。周囲の目を気にして最上級車を敬遠したのだろう。印象的だったのは、見せてもらったマジェスタの内装がフル装備だったこと。外から目につかなければ、やはり一番高級なものが好みなのだ。

沖縄では、目立つことが許されないので、お金持ちであっても高級車に乗ら（乗ることができ）ないのだ。

沖縄は貧困社会だが、一方でお金持ちは少なくない。ただし、沖縄のお金持ちは、お金を持っていることをひた隠しにするため、消費行動に現われにくい。

高級品やブランド品を身につけて歩いている人もあまり目にしない。

私は沖縄大学の女子学生がブランド品のバッグをもっているのを、ほとんど見たことがないし、彼女たちには化粧っ気もない。きらびやかなブランド品にそれほど価値を置かない素朴さは沖縄の良さでもあるのだが、ブランドバッグを持って、ばっちりメイクをして学校に行けば、変に目立ってしまって、人間関係に差し支える。

目立てない社会では、おしゃれも控えめだ。

インターネット・ファッションモールＺＯＺＯＴＯＷＮが２０１６年に発表した一人あたりの年間購入金額は、沖縄県が全国最下位だった。[*3] 温暖な気候のために単価の高い冬物が売れないという事情を割り引いても、沖縄社会は自分を飾ることに消極的であるように見える。コスメ購入額のランキングでも、沖縄県は全国最下位で、１位広島県の約半額しかない。[*4] この傾向が文化的なものだとすると、それ以外の分野にも同じ傾向が生じてもおかしくない。

沖縄の街並みが雑然としていてあまり美的とは言えないこと、美しい住宅をあまり目にしないことなども、周囲の目を気にして高級な住宅を建てにくいという理由があるのではないだろうか。

沖縄の「無感覚」な都市開発も、誰もが「クラクションを鳴らさない」ように配慮したことの結果ではないか。

外食はまず「知人の店」

第二の消費性向は、「ゆいまーる」と呼ばれている沖縄の互助的（ときには同調圧力的）な経済である。

これにも良い面、悪い面の双方が存在し、いずれも沖縄の消費行動を強固に決定している。例えば、沖縄では商品は知り合いから買うのが「正しい」行為だ。ウチナーンチュにとってはあまりに自然なことなので、本人が意識していないことも多いのだが、「外食するときは、知人の店以外にはいかない」という感覚は珍しくない。

同窓会の二次会でも、親戚の集まりでも、イベントの打ち上げでも、まず知り合いの店であることが優先される。

同様に、携帯電話は友人のバイト先で、自動車は父親の同級生の中古車屋で、散髪はおばぁのころから付き合いのある町内の理髪店で……といった具合に、個人消費の大半は人間関係が起点になっている。

学生たちへの調査でも、子どもの頃から、地元や知人の店で買い物をするように促されているケースが少なくない。

例えば高校生になった長男が、那覇新都心に新しくできたサロンに行きはじめると、おばぁがやんわりと、「近所の床屋さんにいったらいいさー」とつぶやくのである。

言葉の上では強制力はないのだが、年長者を敬う沖縄文化の中で、優しいおばぁの言葉に背くには勇気がいる。家族や親戚の間でも「あの子はおばぁのいうことを聞かない」という雰囲気が生じて、日常生活に不都合が生じる。

「地元」と言っても沖縄県内という意味ではない。自分が住む集落のことだ。例えば（那覇市）小禄《おろく》出身の同級生たちが、（那覇市）松山で同窓会を開くと、なんとなく妙な「空気」になったりする。

「沖縄社会に貢献できることはなんだろう?」という私の問いかけに対して、「地元や知り合いの店で物を買うこと」と答える学生は多い。

・おしゃれなレストランよりも、知り合いが経営している平凡な店に行く。
・人との付き合いに配慮して、欲しくもないものを長年利用し続けることも珍しくない。

これも数年前の話だが、ある知人が夜遅くまで飲んだ後で、タクシーで自宅に帰ろうとした。飲み屋の外に出ると雨が降っていたので、私が彼のために、目の前で客待ちしているタクシーに声をかけようとすると、その知人は私を制して、３００メートルくらい先の、タクシー会社まで歩いていくと言う。

目の前にタクシーが止まっているのに、雨の中傘も持たずに３００メートル歩く理由を私が問うと、彼は、この先に親戚のタクシー会社があるのだと言う。「誰か見ているかも知れないから、絶対そのタクシーに乗る」と言い残して、彼は、雨の中濡れながら歩いていった（ちなみに、雨の中傘をささずに歩くのは沖縄では一般的である）。

ウチナーンチュが地元産品を愛する、ということの意味は、一般的に理解されているよりもう少し複雑だ。地元が好きという動機の裏側には、おそらくそれ以上の強さで、人間関係に波風を立てないためのルール、というニュアンスが色濃く存在する。

不良品でも文句を言わない

私の椅子の座面がすり切れたので張り替えをした。自宅近くのシート屋さんが気前よく引き受けてくれたのだが、出来上がったものを受け取ってみると、直したはずの椅子の座面がベコベコで、修理前よりもむしろ悪い状態で戻ってきた。

本土ならば、迷わずやり直しをお願いするところだ。しかし、沖縄社会では、そんな「当たり前」のことが難しい。

私の要求水準と、シート屋さんの仕事の基準が大きく違っていることにはすぐ気がついた。シート屋さんは、「自分は普通に仕事をした」と思っているに違いない。沖縄で、少なからず「見えない地雷」を踏んできた私は、シート屋さんにやり直しをお願いすることが、どんなことを引き起こすかはなんとなくわかっていたが、そのイヤな予感が的中してしまった。

やり直しを依頼したその瞬間から、３週間音沙汰が無くなったのだ。

さすがに困って電話で問い合わせをすると、「あぁ、あの件ね。全然できていないんで」と冷たい返事。１ヶ月が経過してようやく、「できましたけど」と事務の女性から電話があった。

椅子を引き取りに行くと、本人は顔を出さず、事務の人から「そこにできています」と声をかけられた。勝手に持って行けという感じだ。そして、代金を支払おうとする私に対して、「支払いはいいですから」と拒否された。二度と来るなという意味だと思う。

語弊があるが、私がナイチャーの一見客だったということも、原因の一つだったかもしれない。しかし、だからこそこの微妙な問題が、表面化したとも言える。極端な話に聞こえるかもしれないが、不良品を直して欲しいと言うことは、人間関係を終わらせるという意味が（少し）含まれている。

・何かを断ったり拒否したりすれば「裏切り」と捉えられる。信頼関係を失う。
・極力ＮＯと言うことを避けている。人より一歩前に出ようとすると一斉に攻撃されることは、中学校時代のいじめの経験から学んだ。
・アルバイトが休みの日に、代わりに出勤して欲しいと頼まれたら、ほとんど断れない。
・沖縄の人は、確かにはっきりとはＮＯと言わない。特にそれがわかるのが、ＬＩＮＥだ。ＮＯと言わないといけない状況に陥ると、ほとんどの友達は既読にしない。そして、次の日とか少し間をあけて返事をして答えをにごす。これは本当に多い。
・親友と思っている人との約束を一度でも断ると、その人との関係が終わる気がして、とてもきっぱり断れない。実際に連絡が取れなくなった人もたくさんいる。

競争の少ない沖縄社会では、消費者は同じ店から買う以外にあまり選択肢がない（かった）。他の店に「浮気」すると、冷たくされて本当に必要なときに行けなくなる。そのため消費者も商品にこだわる人は少ない。いや、こだわることができないのだ。

商品の良し悪しは関係なく、とにかく人間関係を壊さないことが大切になる。人間関係を壊さない人から、壊さないタイミングで、壊さない値段で、壊さないように買う。それ以外は口をつぐむ。低品質でも、場合によっては不良品であっても文句を言わない。この感覚は、本土の人間には理解しにくい。それどころか、長い本土暮らしの後で沖縄に戻ってきた多くのウチナーンチュでさえ、この微妙な感覚を理解できずに苦しんでいるように見える。

本土の人間から見れば、ウチナーンチュは（本土的な）ルールに囚《とら》われず、緩やかに、自由に生きているようだが、その陰でどれだけ繊細な意識が働いているか。本土人の想像を超える「緊張感」がそこにはある。

このように沖縄経済を捉えると、品質の良いもの、価値のあるもの、優れた商品が生まれない理由が説明できる。

消費者は、商品やサービスの良し悪しで選ばず、同じ商品を買い続ける性向が強く、沖縄では品質の良いもの、価値のあるもの、優れたサービスを顧客に提供しても、結果（売り上げ）につながりにくい。付加価値の高い事業が収益を上げにくい沖縄の社会構造である。

それらの結果、沖縄社会では一流を目指す人が力を発揮しにくいのだ。

人間関係で成り立つ商売は、長期安定的で、本土企業に対して強い参入障壁を作り出すという大きなメリットがある一方で、革新を妨げ、低品質、低付加価値、低報酬を特徴とした、沖縄独特の経済圏を作り上げてきた。

このような環境下では、品質改善への重要性は低く、創造力は発揮されない。開発力、革新力、サービス力が低下し、県外の「厳しい」顧客に訴求する商品を生み出すことは難しくなる。

県外から「外貨」を稼ぐことができなければ、社会は消費を維持するために補助金に頼らざるを得なくなる（随分以前から、沖縄で第二次産業が育たないことが問題視されている。この理由は島嶼県である地理的なハンディのためだとほとんどの人が信じているのだが、それは違うと思う。ほんとうの理由は、「優しい」顧客に甘やかされて、事業者が革新力を失っているからだ。例えば、世界で最も時価総額の高い製造業、アップルの製造拠点は中国だ。イノベーターであれば、世界のどこにいても製造業の利益を取り込むことができる。産業に対する視点を変えなければ、労働生産性を高めることは難しい）。

補助金を手にした瞬間から、事業家はゼロから付加価値を生み出す努力を止めてしまう。

それがさらなる生産性の低下を招いている。

第3章

沖縄は貧困に支えられている

無敵すぎる沖縄企業

労働者、消費者に続いて、沖縄の社会構造を支える第三の登場人物は、「現状維持が最も利益を生む経営者」である。

沖縄の市場が本土企業に「荒らされている」と思っている沖縄人《ウチナーンチュ》は少なくないが、現実は反対だ。沖縄経済は、おそらく日本のあらゆる経済圏の中で、外資や本土大手企業からの攻勢に対して極めて抵抗力が強い。

ヤオハン、マイカル、ダイエーなどをつぎつぎと吸収し、連結営業収益８・５兆円を超える小売の雄イオンだが、沖縄においては、営業収益１９００億円ほどしかない地場のスーパー、サンエーに、利益の額では13倍以上の差をつけられている。[*1]

資本市場のガリバー野村證券は、規模や商品力ではまるで競争にならないはずのおきぎん証券や地場の金融機関に苦戦のしどおしだった。

野村證券那覇支店に勤務していた私の友人（本土出身者）が、こう語ってくれたことがある。

「那覇支店で数年間勤務した経験からすると、どうしてもアウェー感が拭い去れない感覚が常につきまといました。条件や、商品のクオリティとかではない何かが常にありました。ファンドにしても、（お客様は）琉球銀行や、沖縄銀行が販売する商品を当然のように選んでいく。地元の人間にはまず勝てないなと思いました。

この地域では、本土感覚で商売をしてはいけないと思うようになり、前面に理論をふりかざさず、気楽にやりだしてから、仕事がうまくまわりだしたのは不思議な経験でした。（お客様は）よく人を見ているなあと」

メガバンク三菱ＵＦＪ銀行やみずほ銀行は、琉球銀行、沖縄銀行に歯が立たず、その他の大手は沖縄に支店すら作れない。

日本の４大紙読売、朝日、産経、毎日は、沖縄タイムス、琉球新報の牙城を崩せず、沖縄県内で印刷すらできない。

２００８年には、日経新聞が全国紙として戦後初の現地印刷を開始したが、10年経過した２０１７年の時点で販売部数５７４９、普及率はわずか０・８８％に留まっている。ちなみに、沖縄タイムス、琉球新報の発行部数はいずれも15万５０００部（自社公称部数）を超えている。[*2]

旅行代理店最大手ＪＴＢのパックツアーは、沖縄ツーリストや国際旅行社のオーソドックスな企画旅行にかなわない。２０１５年１月に破綻する前のスカイマークが、２０１１年に那覇―宮古便に最安２８００円という低価格で参入したときも、日本トランスオーシャン航空（元の社名は南西航空という沖縄の航空会社）に完敗した。[*3]

規模の経済が比較優位を生むはずのビール業界でも、オリオンビールが、キリン、アサヒ、サントリーを圧倒的に押さえてきた。近年シェアを下げ続けているとはいえ、依然として市場の44％を押さえていることは先に述べた。

この傾向は、沖縄の大半の産業に当てはまる。沖縄の地場産業は、規模では10倍、１００倍のグローバル企業に対して、信じがたいほどの競争力を有してきた。これほど地場産業が強い地域は他ではあまり考えられない。

沖縄社会のプロ

しかし、不思議なことがある。沖縄企業のあれだけの強さが、県内を一歩出ると魔法のように消えてしまうのだ。本土に進出しようとする沖縄企業は奇妙なほど少ないが、仮に進出しても、その多くが失敗に終わってきた。

典型的な事例がサンエーだろう。県内向かう所敵なし、あらゆるスーパーマーケットの中で、利益率全国一位を誇るサンエー[*4]が、県外ではその力を発揮することができない。2006年には、初の沖縄県外出店として、熊本市の「ゆめタウンはません」内にファミリーレストラン業態で進出を図ったが[*5]、4年後に完全撤退している。それ以来、サンエーの県外進出は、営業収益が1900億円の声を聞くようになった今でも凍結されたままだ。

すでに述べたように、沖縄では、人間関係が消費に大きな影響を及ぼし、「定番」が売れる。そのことが新商品の参入障壁になり、本土企業の沖縄進出を阻み、地元企業の利益を確保してきた。この安定した収益に支えられて、沖縄企業は無敵の強さを誇り、非常に安定した（変化のない）事業を、長い間継続している。

沖縄企業の（県内における）破格の強さは、本土企業と比べて商品やサービスが優れているからではない。ウチナーンチュの気持ちを理解する力、そして、その社会特性を収益化する力にある。おそらくいずれも無意識だ。

良くも悪くも、彼らは事業のプロというよりも、沖縄社会のプロなのだ。

私にとって、これは重大な気づきだった。この分析が正しければ、なぜ沖縄の地元企業が、グローバル企業に対してこれほどまでに強いのか、なぜ多くの本土企業が沖縄に進出しようとしては撤退を繰り返しているのか、そして、なぜ沖縄企業が県外に進出できないのか、沖縄企業の「強さ」と「弱さ」を同時に説明できるのだ。

小売のガリバー、イオンは、沖縄社会への理解の深さがサンエーには及ばず、沖縄県内では大きく水をあけられている。沖縄社会のプロ、サンエーは、沖縄県内では無敵だが、総合的な企画力、展開力、資本力など（そしておそらく、人材力）でイオンに及ばず、（今のところ）沖縄県から一歩も外に出ることができない。

本土の大企業は、一般に資本や人材が豊富で、商品力があり、大掛かりなシステムなどの事業インフラを持ち、サービス力も高く、フォローアップも丁寧だ。いわゆる事業的な側面においては、沖縄の地場企業をことごとく上回っていると言っても過言ではない。

しかしながら、そんな本土企業が沖縄で商品を売ろうとしても思うように売れない。沖縄の消費者が、本土企業の商品やサービスに関心を示さないからだ。

沖縄に進出する本土企業が典型的に犯す過ちは、本土でのやり方が沖縄でも通用するという思い込みによる。沖縄経済には、見かけとはまったく異なる複雑さと、深みと、歪みがあり、本土人が想像するような市場原理でモノゴトが運ばない。

モノが売れる理由、顧客が商品を選ぶ理由、商品やサービスの価格が決まる理由が、本土の市場原理とはことごとく異なる。（本土人の）目には見えないが、沖縄経済を規定する重大な原則が存在するのだ。

「変わらないこと」の合理性

良し悪しにこだわらず、昔ながらの定番商品を買い続ける消費者は、沖縄の経営者にとって最高の存在だ。

商品開発、顧客開拓、新規投資を行わなくても、十分に利益が確保できるだけでなく、本土からの新規参入に対して、大きな抵抗力を発揮し、沖縄企業を強力に支えてくれる。保守的な消費者が同じものを買い続けてくれるために、事業的な変化は少ないほど好ましい。現状維持が経済合理的であるならば、現状を変えないことに全力を尽くすことは、経営者の責務である。

多くの社会問題を目の当たりにして、「なぜ沖縄は変われないのか？」といらだつ人の気持ちはよくわかるが、実はその問い自体が間違っている。

企業にとって、そもそも変化する意味がないのだ。

沖縄の経営者にとっては、固定化された社会構造が利益の源泉であったとも言えるからだ。全神経を使って人間関係のバランスを守りきれば、後は、保守的な消費者が同じものを買い続けてくれるために、事業的な変化は少ないほど好ましく、あらゆる変化を止めることが自分の仕事であるかのように振る舞う経営者が少なくない。

そして、これまではそれが必ずしも悪いことではなかった。保守的な消費傾向を持つ沖縄市場に適応するために、ある意味で合理的な経営（無）判断だった。

適者生存の原則どおり、経営者の行動は、沖縄の社会構造に見事に適応した結果なのだ。

だからだと思うが、一般的な沖縄のリーダー像は、人当たりが良くて敵が少なく、あまり変化を起こさない人物が（おそらく積極的に）選ばれてきた。

　保守的な消費者が同じものを買い続け（てくれ）るということは、逆に、どれだけ質の良いものを提供しても、評価されにくい（つまり、売り上げを伸ばすことができない）ということだ。

　人間関係が売り上げを支えているから、それが良い商品であっても、価格を上げれば「ぼったくり」という評判が立ちやすい。

　事業者は、質の良いものを提供できず、また、提供する意味もないから、安かろう悪かろうの商品が市場に溢れる。

　その結果、沖縄県の労働生産性はあらゆる産業で日本の最低水準である。[*6]

　労働生産性の低い企業が利益を確保するためには、人件費を削るしかない。

　そして、経営者にとって都合の良いことに、クラクションを鳴らさない労働者は、自ら適正な報酬を要求したりはしない。

　その低い人件費が企業利益の源泉となって、経営者を支えている。

身内優先が変化を止める

加えて、沖縄では、自分の身内に忠誠を誓うことが重大なルールである。

多くのウチナーンチュは仕事よりも、身内を優先する。

例えば、２代目経営者と長い時間をかけて事業提携を進めていても、（引退している）先代に反対されれば、ろくに反論もせず提携を破談にするようなところがある。利益も、義理も、約束もあまり重視されない。外部からはご都合主義に見える身内優先だが、このルールを破れば沖縄社会で居場所がなくなってしまうという事情がある。

ＮＯと言えない沖縄社会で、身内にＮＯをつきつけることは、ウチナーンチュにとっては最も難しいことの一つだ。

・親や祖父母にお金の仕送りを頼まれたら、断ることはできない。

・自分の用事があっても、親戚を常に優先しろと親から教わってきた。これが普通だと思っていた。

・親戚が集まる際に集まらないと、機嫌を害した人から「あの人とは付き合わない方がいい」などと悪口を広められる。親戚づきあいを最優先するのが当たり前。

身内優先の文化は、政治にもはっきり現われている。例えば、沖縄では県知事選挙が終了するたびに、保守、革新、どちらが当選しても、例外なく露骨な論功行賞がなされるのだが、このことは、社会的に許容されているようなところがある。

とても適材適所とは言えない人事であっても、身内を重用しなければ、「冷たい人」という評判が立って、自分の地位が危うくなるからだ。

私は以前、浦添市の政策アドバイザーに内定したことがある（後に辞退）[*7]。浦添市は、米軍牧港補給地区（キャンプ・キンザー）の返還と、隣接する西海岸の大開発が予定されている。沖縄の将来にとって特に重要な自治体だ。

内定のニュースが新聞で報道されたその日のうちに、数人の名士から電話があった。いずれも「この土地での開発についてよろしく」という趣旨だった。言葉のニュアンスには、「便宜を図ってくれれば、相応の見返りを……」「しかし、断ったら、わかっているでしょうね……」というトーンが含まれていたと思うのは、考えすぎだろうか？

もちろん、こんな話は世界のどこにでもあると思う。しかし、私がウチナーンチュだったとして、これがＮＯと言えない身内からの依頼だったら、社会全体のことを考えて政治を行うことなど、ほとんど不可能ではないかと思うのだ。

社会全体に奉仕しようとすると、身内からは「裏切り」に映る。

現状維持は、身内から非難されないために、最も適した選択だ。

茨のリーダーシップ

沖縄で物事を変えようとするリーダーには強い圧力がかかる。

数年前のことだが、私の友人の医師（本土出身者）が開業することになった。

経営に関して相談を受けたので、私は、何よりも従業員の働きやすさを優先するようにアドバイスした。可能であれば正社員だけで運営し、業界水準以上の給与を支払い、労働時間や福利厚生を手厚くすることを勧め、彼らの声に注意深く、頻繁に耳を傾け、従業員の自主性と成長を重んじることが、大きな生産性を生み出すことを説明した。

少子高齢化の本格的な到来によって、これから人材が著しく不足するようになる。今はきれいごとに聞こえるかもしれないが、人を何よりも大切にする経営が遠からず報われるようになる。その方向に経営の舵を切るのは、重要な経営戦略である、と。

私のアドバイスに納得した友人医師が手厚い待遇で従業員を募集したところ、同業者から様々な妨害を受けた、と私に語ってくれた。

沖縄では革新者に対してやんわりと、曖昧な言葉で、ときには無言で、暴力的な圧力がかかることが珍しくない。「おまえのところだけ従業員に高い給料を払っていいカッコすれば周りが迷惑する。沖縄社会のバランスを乱すものは悪である」といった声なき声だ。彼はクラクションを鳴らしてしまったのだ。

・アルバイト先の上司が、バイトの時給を一気に200円あげた。店長、統括からこっぴどく叱られたそうだが、本人は一向に気にかけず、「人の頑張りを認めて何が悪いんだろうね、本当に意味がわからない」と言っていた。この女性は福岡の出身だが、ウチナーンチュとの違いが印象的だった。

さらには、従業員も、このことをそれほど喜んでくれるわけでもない。

一般的とは言い切れないが、少なくとも私が以前経営していたあるホテルでは、特別賞与を支払ったことで、「私たちをお金でコントロールしようとしている」と非難されたことがあった。

別のホテルでも年に2回基本給のベースアップを行い、３回賞与を支給したことがある。20年間の社歴で初めてのことだ。お礼が欲しくてしたわけではないが、２５０人の従業員からは、（少なくとも表立っては）ほとんど何の反応もなかった。

高い報酬を望まない人は、ほとんど存在しない。しかし、事業経営である以上、より高い報酬は、より高い生産性の裏付けがあって初めて成り立つ。生産性を上げようとすれば、クラクションを鳴らすことになってしまう。できるものがいじめられる沖縄社会で、目立ってしまうくらいなら、行動を止めた方がいい。変化に対して、無意識に「行動を止める」サボタージュである。このことはすでに述べた。

経営者の立場では、たとえ物事を変えたいと思っても、現実に組織を動かすことが至難の業《わざ》だ。

生産性を上げ、従業員に多くの報酬を支払う行為は、経済合理性に乏しく、業界から圧力を受け、人間関係をこじらせるリスクを負い、従業員からもそれほど喜ばれない（かもしれない）どころか、サボタージュの対象になる。

沖縄社会で「出る杭」になってまで、経済合理性に乏しい、そして当の従業員さえ積極的に望まない、報酬増加に取り組む理由が存在しない。沖縄の企業で働く従業員の給与が一向に上がらないのは、そもそも報酬を積極的に上げようと考えている、あるいは、上げることができると考えている経営者がほとんど存在しないことが原因だろう。

最近会話した沖縄のある経営者が私にこう語ってくれた。彼もまた、沖縄経済界の名士の一人である。

「貧困の原因は、経営者が十分に報酬を支払わないからだ、という樋口さんのご意見は耳が痛いです。でも私の立場からすると、法的な最低賃金を上げてほしいですね。そうすると価格に反映しやすくなるので、従業員の給与アップにつながるんですが……」

裏を返せば、「自分から進んで従業員への報酬を上げる気はない」「最低賃金以上は支払うつもりがない」「最低賃金が上がれば喜んで支払える」という意味だろう。

そこには、自分の会社だけが報酬や価格を上げることが不可能だという事情（思い込み）が見え隠れする。社会が変わるのであれば自分も「喜んで」腰をあげるが、自分が変革の矢面に立たなければならないことは、選択肢になり得ない。

有能な人材を排除する沖縄社会

現状維持には大きな弊害がある。創造的な人材の芽を潰してしまうことだ。沖縄社会は深刻な人材不足に直面しているが、これは沖縄社会が永きにわたって、有能な人材を社会から（無意識に）排除してきたことの副作用だ。

語弊を恐れずに証言するが、沖縄社会が、有能な人材に対して行う仕打ちは残酷だ。典型的なやり方は無視することだ。有能な人材が成果を生み出しても、あたかもその人物がそこに存在しないかのように振る舞う。

悪気があってそうするというよりも、目立たず、自分の居場所を確保するための処世術がそうさせるような気がする。

有能で目立つ人を応援することは、自分が目立ってしまう原因にもなるから、賛同する気持ちがあっても、積極的に手を差し伸べることができないのだ。

周囲から目立つことができない沖縄社会では、社会を変えていくような、有能な人材を見殺しにする習慣が、社会構造に組み込まれているという意味である。

「有能な」社員を高給で迎えるよりも、毎日変化のない業務を、低所得で淡々とこなしてくれる従業員の方が都合がいい。沖縄の求人で圧倒的に非正規雇用が多いのはこのような理由によるのではないか。

経営者は「人材が育たない」と嘆いているが、実はその原因の一端は自分自身にある。後継者や人材不足に悩む沖縄社会の現状は、沖縄の貧困問題と同根であり、それらはすべて、社会の構造的必然によって生まれているのだ。

イノベーションが生まれるための必要条件は、イノベーターの存在である。非常識であることを恐れず、失敗を繰り返す勇気をもつ人たちの総称である。

創造性は失敗の繰り返しから生まれる。すべての失敗が創造的だとは限らないが、創造的であるためには、多くの失敗が許容されなければならない。

また、イノベーションは、異なる価値観のぶつかり合いから生まれる。異なった見方をする複数の人間が、自分の意見を誠実にぶつけない限り、より大きな価値観へとたどり着くことは難しい。

イノベーションとは、常識の外側に価値を見つける活動であり、現状を維持しようとする発想の中からは生まれない。

現状維持を何よりも優先し、できるだけ目立たないように、人と対立することを最も恐れるウチナーンチュ気質と沖縄の社会構造は、イノベーションの対極にある。

創造的な仕事がなければ人材は育たず、人材が育たなければイノベーションは生じない。イノベーションが生まれなければ、生産性を生み出すことができず、雇用の質は低下し、労働者は十分な収入を得られず、生活の質が低下し、補助金などへの依存体質が深まり、社会問題の数々が広がり、教育が劣化し、人材の質が低下する。

戻ってきたウチナーンチュは危険人物？

沖縄の経営者は、イノベーションも不要、新規事業も不要、マーケティングも不要、人材登用も不要、多額の人件費も不要、人材育成も不要で、潤沢な利益を享受する立場にいる。

沖縄企業は非正規を多く雇用し、人材育成に熱心とは言えず、離職率が高い。現状維持の原則が優先だから、有能な社員に活躍の場を提供できないし、する意味もない。そして何よりも、従業員が成長を望まない。

つまり、人を育てることに経営的な合理性が存在しないのだ。

「沖縄の経営者は、従業員を低賃金で働かせておいて、自分ばかりが高給を取っている」と批判されがちだ。現象面は確かにその通りかも知れないが、その背景にある社会構造と、その合理性に目を向けないかぎり、どれだけ経営者を批判しても的外れになる。

経営者の行為は合法だし、なんといっても、そこには経済合理性が存在するのだ。

繰り返すようだが、この問題は、沖縄の社会構造が生み出している問題であって、ウチナーンチュの素質の問題ではない。多岐にわたる業界で、沖縄出身者の活躍は目覚ましい。ただし、成功するウチナーンチュの多くは県外、国外で能力を開花させる。

悲劇的なことは、沖縄県外で成功したウチナーンチュは、沖縄社会にとっては、ある意味、最も望まれないタイプの、社会を変える力のある人たちなのだ。

本土での目覚ましい実績が見込まれて沖縄の支社にUターンしてきた優秀なウチナーンチュが組織内で浮きまくり、サボタージュの洗礼を受けて短期間で鬱になっていく事例を私は何人も見てきた。

外で成功したウチナーンチュは「できるものいじめ」のターゲットになりやすく、沖縄に戻るとつぶされて居場所を失ってしまう。

沖縄県内で暮らすナイチャーも似たような立場に置かれることが多いが、所詮《しょせん》沖縄社会では「お客様」だ。「数年で本土に戻る」と思われているから、沖縄社会の「異物」ではあっても、それほど積極的に排除する必要がない。

しかし、帰ってきた（有能な）ウチナーンチュは別物だ。残りの一生を沖縄で暮らす可能性が高く、沖縄社会の安定した序列を崩して、本格的にパイを奪う存在なのだ。

だから帰ってきたウチナーンチュに対するサボタージュは、ナイチャーに対するよりもはるかに酷《ひど》い。

沖縄から貧困がなくならない本当の理由

沖縄の従業員の所得が低いのは、沖縄の経営者が給料を十分に支払わないからだ。しかし、従業員にも生産性を高めるために頑張るリーダーをありがた迷惑だと感じるようなところがある。経営者は、そのことをよくわかっているから、あえて生産性を高めようとは考えないし、無理をして、従業員に多くの報酬を支払おうとも考えていない。仮に、変革を試みる経営者がいたとしても、困難で報われない仕事になる。

従業員は、収入を高めることを重要視してい（でき）ないし、自分の能力を高めたり、環境を改善しようとする意欲に乏しい。自分にとって不都合な環境であっても現状維持を望みがちだ。

従業員が昇給を避け、消費者が無批判に同じものを買い続ける……。現状維持を強く望むウチナーンチュの性向が、沖縄社会を経済的に固定化し、沖縄企業の収益力を安定的に支え、本土企業に対する強固な参入障壁を作り出してきた。その結果、沖縄企業は、本土企業に対して異様に強い力を発揮している。

その結果、労働者はいつまでたっても、日本最低水準の賃金で働き、貧困は拡大し、子どもたちの将来に暗い影を落としている。

さらには、日本で最低水準の人件費がイノベーションに乏しい企業の収益を補填して、現状維持を強固に支えている。沖縄の社会構造が若者から創造性を奪い、労働生産性を低下させ、さらなる低賃金を生み出すという悪循環が生じているというわけだ。

沖縄の社会構造が貧困を生み出していると同時に、沖縄経済が貧困によって維持されている。

だから、沖縄企業が無敵であるにもかかわらず、なぜ貧困が生じているのか？　という問いは、やはり問い方が間違っている。

沖縄の貧困が（沖縄の低所得者が）沖縄企業を強固に支えているのだ。極端に言えば、沖縄の社会構造の中では、（悪意なく）変化を止め、（無意識のうちに）足を引っ張り、個性を殺し、成長を避けることが「経済合理的」だったのだ。

沖縄社会が貧困なのは、貧困であることに（経済）合理性が存在するからだ。

これが、「沖縄から貧困がなくならない本当の理由」である。

世の中の問題の多くは非合理によって生じるのではない。貧困という一見非合理な現象の裏側に、「そうあるべき」事情が存在する。貧困問題を（対症療法で）直接解決しようとしてもうまくいかないのはこのためだ。

沖縄の貧困を根源的に解決したいと望むのであれば、その合理性に変化を生じさせなければならない。

第4章

自分を愛せないウチナーンチュ

貧困を生み出す「根本原因」

沖縄人《ウチナーンチュ》が目の前の人にＮＯと言わない（クラクションを鳴らさない）のは、人間関係の摩擦を避けるためだ。

しかし、不思議でもある。

同僚との関係が多少こじれても、自分の成長のためにより責任ある仕事を選ぶことはできるはずだし、実際沖縄を一歩出れば、世の中の多くの人はそうしている。他人から少し変わっていると思われても、自分の好きなものを自由に買っている人は世の中には多くいる。

経営者は、独自の経営哲学を持ってこそ他者との差別化が可能なはずだし、そもそも、他人がなし得なかった新たな価値を生み出すことが経営の本質だ。勇気を奮って未知の事業に挑戦したり、波風が立つことを承知で優秀な人材を採用したり、従業員を手厚く処遇することは、事業の採算が取れる限りまったく自由である。

それにもかかわらず、多くのウチナーンチュは……労働者であっても、消費者であっても、経営者であっても……目立たず、波風を立てず、ＮＯと言わず、周囲の期待どおりに生きることを、無意識に、しかし積極的に選択しているようなところがある。

現状を変えたくない、波風を立てたくない、目立ちたくない、失敗したくない、人に嫌われたくない……現状維持の沖縄の社会構造を作り出しているのは、「自分らしさよりも場の空気を優先する」というウチナーンチュ気質である。そのために、自分らしさを諦め、生きづらさに甘んじることになっても、だ。

さて、ここまで説明した貧困を生み出す沖縄の社会構造の下に、もう一段、根本原因が存在する。

「自尊心の低さ」という、心の大問題だ。


私が自尊心について考えるきっかけになったのは、学生との関わりを通じてである。

私は、沖縄大学で『幸福論』という授業を開講しているが、あるとき、学生たちを対象とした幸福度調査のデータの中で「自分には魅力がない」「自分は頭の回転が遅い」といった、自己肯定感に関わるスコアが特に低いことに気がついたのだ。

学生たちの「無感覚さ」が、この自己肯定感の低さと深く関わりがあるのではないかと直感したものの、それが何なのかを理解するまでには、しばらく時間が必要だった。

本来、情熱ある若者たちに、そう思わせるものがあるとすれば、それは何だろう？

そう問いながら、関連する書籍や資料や論文を読み漁るようになったのが２０１６年頃からだ。そして、自尊心という「答え」にたどり着いた。

人間関係に向き合う際にも、この視点が加わると、様々なことが説明できるようになる。自尊心とその作用について理解を深めるほど、それが人間のあらゆる活動、人間関係、幸せを支える根源的な概念であることを知ることになる。

自尊心がなぜ、人間に多大な影響を与えるのか、それは、自尊心が愛と深いつながりを持っているからだ。


「自尊心」には、いろいろな解釈があるが、そのまま使用すると語弊があるので、本書での定義を明確にしたい。

世界中から注目されているＴＥＤカンファレンスで、最も人気の高いスピーカーの一人、アメリカの心理学者ブレネー・ブラウンは、18歳から87歳までの様々な立場に置かれた世界中の人たちの体験談を20年以上にわたって聞きとり、人間の幸せのパターンを調べてきた。

彼女の膨大なデータが示していたのは、どれだけ弱点があっても、境遇に恵まれなくても、そんなことにはお構いなく、生き生きと充実した人生を送っている人たちの存在だ。

彼らに唯一共通している点は、自分は（ありのままで）愛される価値があると信じている、ということだった[*1]。

これが自尊心である。

自尊心とは、これまでの成功も失敗も、できることもできないことも、優越感も劣等感も、喜びも恐れも、カッコいい自分もカッコ悪い自分も、自分の好きなところも、そして嫌いなところさえ、すべてを抱きしめる力である。

それは、自分を愛する力のことだ。

自分を愛する力は、自分を生きる力、人と向き合う力、生産的な人生を送る力……あらゆる力の源である。

自分を大切にする人は、他人を大切にできる。自分を尊敬できる人は、他人を尊敬できる。

自分を愛するから、仕事を大切にし、人生に意味を見つけることができ、何気ない日常に喜びを感じ、自分を生きる勇気が湧き、友人に優しくでき、社会が大切に感じられる。

自分を愛する人だけが、人を愛することができる。人とのつながりを感じているから、自分の意にそぐわないことに対して率直にＮＯと言える。それで人間関係が変わっても仕方がないと覚悟している。彼らにはその勇気がある。

高い自尊心を持つということ、つまり、自分を愛するということは、人を愛し、仕事を愛し、社会を愛するための必要条件であり、幸福に生きるために、どうしても欠かせない心の力である。

利己的な人は、自分を「愛しすぎる」のではなく「愛さなすぎる」

ここで、自尊心に対する最も多い誤解を解いておこうと思う。

自分を愛するということは、利己主義とはまったく違う。

自分の力量を誇示したり、家柄を誇ったり、自分を大きく見せようとしたり、自分の姿に見とれたりするナルシシズムとも違う。いわゆる「プライド」とも違う。その正反対だ。

心理学者エーリッヒ・フロムは、名著『愛するということ』の中で、利己主義は十分に自分を愛していないからこそ、生じるものだと述べている。

「利己主義と自己愛（自尊心）とは、同じどころか、まったく正反対である。利己的な人は、自分を愛しすぎるのではなく、愛さなすぎるのである。いや実際のところ、彼は自分を憎んでいるのだ。（略）自分自身をあまりに愛しすぎているかのように見えるが、実際には、真の自己を愛せず、それをなんとか埋め合わせ、ごまかそうとしているのである」[*2]

自分を愛する人は、自分を必要以上に大きく見せる必要を感じないから、威張らないし、自慢しない。彼らは、自分の弱さや欠点を認め、失敗を隠さず、間違えれば素直に頭を下げ、打たれ強い。

「人は誰でも間違える。誤った行動は正せばいい」と考えるから、失敗を人格の欠如と受け止めない。人格が傷つかないから失敗を恐れる理由がない。自分を恥じないから、オープンで隠し事をする必要がない。

自分を愛する人は、自分に大切なことを知っている人だ。「私はこれでいい」という確信があるから、ＮＯと言える。自分らしさを大切に生きているから、他人の目を気にせず、「嫌われる勇気」を持ち、カッコ悪い自分に胸を張る、真の勇者だ。[*3]

翼が折れた（と思っている）エンジェル

自分を愛することは、完璧になることではない。どれだけ欠点があってもいい。できないことがあってもいい。その欠点をオープンに受け止められている限り、自尊心は傷つかない。

ペンギンはコンドルと比べて、空を飛ぶ力は劣るが、それが悪いことでもない。

劣っている自分を受け入れることができる人は、自分を嫌いにはならない。どれだけ劣等感を覚えていても、それを言い訳にせず、建設的に生きられる人は、自分を愛している。

問題は、ペンギンがコンドルのふりをするときに生じる。

ペンギンは空を飛べなくて当然だ。ペンギンは海の中でこそ驚異的な「羽ばたき」を見せる。しかし、「コンドルのように飛べない自分が恥ずかしい」と考えた瞬間から、自己嫌悪が始まる。

自分を愛せないペンギンは、コンドルのように空を飛べさえすれば、自分を肯定できるようになると考える。しかし、ペンギンが自分を偽って、空を飛ぶ特訓をしても、決してコンドルのように飛べるようにはならないし、ペンギンらしく生きる幸せも味わえなくなる。

そして、逆もまた真である。

「できるものいじめ」が一般的な沖縄社会では、コンドルにも同調圧力がかかる。空を自由に飛ぶことは、コンドルにとってあまりに自然なことだが、現状維持を優先する社会が、家族が、人間関係が、それを許さない。

コンドルとして羽ばたく力を持って生まれながら、空を飛ば（べ）ない自分に失望し、自尊心が毀損《きそん》するのは当然のことだろう。

コンドルであろうと、ペンギンであろうと、自分に嘘をつけば、決して幸せに生きられない。

「自分ではないもの」として無理やり生きようとすれば、自分を生きられない怒りが抑圧されて、心が悲鳴をあげる。サイドブレーキがかかったまま、車のアクセルを踏み込むようなものだから、莫大なエネルギーが浪費されて、いつも疲れ気味で、人生に情熱を失い、生産性が低下し、いつも刺激が必要で、不安で、たまに成果が出ても心から喜べず、無感覚だ。その時、人は、「自分は、他人から愛される価値がない」と感じている。

自分を愛する人は、自分の背中に羽があると信じている人である。

一方で、自分を愛せない人は、自分の背中の羽の存在がどうしても信じられない。

空を飛ぶ手助けをしようとして、二人をビルの屋上に連れて行き、善意で背中を押すとどうなるだろう。自分を愛する人は、羽を使って力強く空を飛ぶが、自分を愛せない人は、羽を開くことを考えもせず、そのまま落ちてしまうのだ。

自分の羽が信じられないコンドルに空の飛び方を伝えても、彼らを傷つけるだけに終わる。

ウチナーンチュの背中にも羽が生えている。しかし、当の本人がそれを信じていなければ、誰が羽を使おうと思うだろう。

空を飛ぼうと呼びかける上司に対して（無意識に）サボタージュするのは当然である。イノベーションも、創造も、挑戦も、意味をなさない。働くことに情熱が湧かないのも無理はない。羽ばたくことが不可能だと思い込んでいるからだ。

羽ばたくことができなければ、建設的なことには意味がないから、物事を明らかにする議論も不毛だ。現実直視も、問題発見も、問題解決も、空虚な概念に過ぎない。意見を持つことにも意味はない。質問もしない方がいい。クラクションを鳴らすことは、人間関係に波風を立てるだけのマイナスでしかない。

羽が使えないから、自分で自分の人生を切り開く努力も無意味だ。

他人との関係に依存しなければならないと思い込み、人間関係の摩擦がタブーになる。人に同調してＮＯと言わず、自分の意見を封殺し、目立たないことがなによりも大切になる。新しいことに挑戦してビルの屋上から転落するよりも、周囲から浮き上がらないように昇進を断る方が「合理的」だ。

そんな社会のリーダーは、実力よりも家柄と派閥と論功行賞で決まるようになる。組織での昇進へのカギは「問題を起こさないこと」と「嫌われないこと」。

本来自分に責任があることを、他人のせいにしようとするのも理屈に合っている。到底挽回できないと思っているなら、失敗を認めるわけにはいかない。自分だけが飛べずに取り残されてしまうなら、人の足を引っ張る「できるものいじめ」も当然だろう。

大学の現場でも同様だ。

教育行政が「指導」する大学教育の枠組みは、自分の羽を信じられない学生たちに、空の飛び方を指導するカリキュラムが満載になっている。自分をすり減らしながらも頑張れる一部の学生たちは、見かけの成果を上げることができるが、自分の羽を信じられない多くの学生たちは、知識が増えても現実感が伴わない。羽を信じていなければ、どれだけ飛び方を覚えても、意味がない。

学ぶことの意味が感じられず、目的を失い、漂うように時間を過ごす。多くはアルバイトやサークルに居場所を見つけようとするが、社会とのギャップは埋まらない。意味のない学びに身が入るわけがないから、成果も上がらない。成果が上がらない学生に対して教師は冷たいから、見放されたと感じた学生は、さらに自分が嫌いになる。

最悪なことは、周囲の期待に沿う成果を出せないのは、自分に欠陥があるからだと、学生が信じはじめることだ。

しかし、当然ながら、羽がない（欠陥がある）ことと、羽を信じられない（欠陥は何もない）ことは、全く別のことである。

その違いは、自分を愛している（自分には価値があると信じている）かどうかだ。

ドアマット人間

自尊心のあり方が、生産性に大きく影響することを示唆する研究も存在する。

ペンシルベニア大学の心理学者アダム・グラントは、「人との関わり方」によって人間の成功が大きく左右するという理論を発表して話題になっている。

人間を、他人の利益を真っ先に考える贈与型、フェアな関係を望む取引型、自分中心の獲得型、に分類すると、最も生産性の高い人が贈与型であることがわかった。しかし同時に、最も生産性の低い人も贈与型なのだ。

これは、贈与型に２種類のタイプが存在することが示されているからである。

最も生産性の高い贈与型は、人に優しいが自分のことも大切にする、自尊心の高いタイプである。

一方で、最も生産性の低い贈与型は、心優しいが、自分を愛せず、自尊心が低く、他人に合わせて行動する「ドアマット」タイプである。

このタイプは獲得型と比較して収入が14％低く、犯罪の被害者になる確率が２倍で、力を評価されることも22％低いという。[*4]

学生たちの話を聞いていると、ブラック企業のアルバイト先で働き、最低賃金で残業代も出ず、無理やり正月にシフトを入れられながら、店長からお礼を言われると「私みたいな者でも人の役に立つんだ……ほっこりうれしくなってまた頑張る」などと言う。

自分を愛せない人は、他人からドアマットのように踏みつけられることを「仕方がないこと」と思う。それどころか、そんな雇用主に感謝している。

貧困は経済問題ではない。自尊心の低さが招く心の問題だ。

自殺率ナンバーワンの島

自尊心が毀損すると、つまり、自分を愛せなくなると、実に様々な問題が生じる。

自尊心が低い人は、失敗（正確には、失敗そのものよりも、失敗によって人から軽蔑されるリスクだが）を恐れ、挑戦を避ける傾向がある。失敗を恐れる人は創造的であり得ない。自尊心の低い社会から、イノベーションは生じ得ない。

自分を愛せない人は、他人の出方によって自分の行動を決めるから、自分らしく生きることが難しい。挑戦を避け、体面を保つために不正をしやすく、人の成功を羨み、ディキャーフージーを叩き、現状維持を好む。

自尊心は、幸福度（life satisfaction）と強い正の相関があることも知られている。お金、友人、家族関係が表面上良好に見えても、自尊心が低ければ幸福を感じにくい。

自分を愛せない人は、自分を恥じ、自分に価値があると感じられず、他人からの愛が信じられない。他人の愛が信じられなければ、他人と心がつながらず、人生は苦しみの場になる。自分を恥じる気持ち（自尊心の低さ）は、自殺、うつ、暴力、攻撃性、依存症、いじめ、摂食障害などの問題と強い相関がある。[*5]

ここで考えざるを得ないことは、自分を愛せないことによる、これらの問題と、沖縄の社会問題の多くが重複しているという事実である。

例えば、あまり知られていないことだが、沖縄の自殺率は全国で突出して１位である（若者は中高齢者と比較して自殺しにくい傾向がある。このため、若者比率の高い沖縄県では、対人口比での自殺率は１位ではない。しかし、死亡者数に対する自殺の割合を取ると、沖縄が全国で突出していることがわかる）[*6]。

教員の鬱も突出して全国１位[*7]。殺人、強盗、レイプなどの凶悪犯罪[*8]も全国と比較して高水準で、年度によっては全国１位だった。

飲酒などの依存症[*9]や深酒[*10]、路上寝[*11]、飲酒事故[*12]、若者の飲酒と暴力[*13]、ＤＶ[*14]、少年犯罪[*15]、児童虐待[*16]などの多さも指摘されている。

いじめは、普通にいじめと思われているものだけではない。頑張る人（ディキヤーフージー）に対する無意識のいじめも沖縄社会の特徴だが、これは、表面化していないいじめの存在を示している。

目立つことを恐れて昇進を断ったり、真面目に仕事をしながら低賃金に甘んじたり、周りからどう思われるかを恐れて言うべき意見を控えたり、張り切る上司に無意識にサボタージュをしてみたり、派手だと思われそうな消費を控えたり、どんなに質が悪い物でも一言も文句を言わずに知り合いの店から買い続けたり、業界の序列を尊重して新規事業を控えたり……。

これまで述べてきた全ての事例が、いずれも自分を愛せない人の行動原理として説明できるように思われる。

「なんくるないさ」の副作用

人間の本当の苦しみは、苦しみの出来事そのものによるものではない。その苦しみから逃れられないと絶望したときに、人間としての尊厳が傷つき、自分を愛せなくなる。

人間は激しい痛みを感じると、自分の感覚を鈍らせて自己防衛を図る性質があるが、[*17] それは絶望の耐え難い痛みを和らげるために、自分自身に打つ麻酔のようなものだ。

例えば、沖縄には、しばしば問題から目を背けるために使われる「なんくるないさ」という言葉がある。本来は、マクトゥソーケーナンクルナイサ（人事を尽くして天命を待つ）という素晴らしい意味が、いつからか、「何もしなくてもＯＫ」という意味でも使われるようになっている。現状維持は強力な麻酔として機能するため、虐げられ、苦しんでいる貧困層ほど、現状を肯定する。

麻酔は痛みを和らげるが、同時に他のあらゆる感覚をも麻痺させてしまう。愛、喜び、感動、共感、直感……すべてだ。問題から目をそらせば痛みは減じるかもしれないが、人生のあらゆる豊かさから遠ざかることにもなる。

まさに人間が「無感覚」になるのだ。

そして、強い麻酔を打っている人の特徴の一つは、他人にＮＯと言わ(え)ないことだ。[*18]

行きたくない誘いに応じるときにも、麻酔を打てば良い。感覚が鈍って、嫌な誘いだということが気にならなくなる。だから、表面上は、嫌な顔一つせず誘いに応じる「優しい人」に見える。

そう考えると、麻酔を打ったような無感覚さで暮らしている人が、沖縄社会には確かに多くないだろうか?

「優しい」ウチナーンチュの姿も、その裏腹な冷たさも、無意識にサボタージュする従業員も、新しいことへの挑戦を無意識に避ける経営者たちも、無批判に同じ行動を繰り返す消費者も、心の痛みを和らげるための「麻酔」が原因だとしたらどうだろう。

学生の無感覚さも都市開発の雑然さも、このことによるのではないか。

これまで挙げたような、一人ひとりの、心に起因する「症状」が集積して、沖縄の社会構造が形作られているのならば、経済全体にその影響が及ぶことは、当然のことだろう。

沖縄の長男問題

社会において、地位、権力を有する人の自尊心が低い場合、この問題は増幅する。沖縄のような男性優位社会において、男性リーダーの自尊心の低さ、特に長男の自尊心の低さは、社会全体に影響を及ぼすことになる。

沖縄の長男(どの事例にももちろん多くの例外はある。まったくこのような問題が存在しない家族もあるだろうし、長男の代わりに次男、あるいは長女が同様の問題を抱えている場合もある）の問題を記述することはセンシティブで難しいが、沖縄社会を代表する問題の一つだということに異論を唱えるウチナーンチュは少ないだろう。

沖縄社会の長男は、文字通りの上げ膳据え膳で、なにかにつけて優遇されてお得な存在にも見えるが、同調圧力を最も受ける宿命に生まれついている。

それゆえに彼らは自分の声を上げようにも上げられず、失敗も許されず、自分らしく生きられない。自由を奪われた人間は、自分を愛せず、打たれ弱い。

彼らの多くは、社会的地位が高く、権力を持ったリーダーたちだ。それはすなわち、地域全体が自分を愛せない男性たちによって運営されているということでもある。

私たちは頻繁に、経済問題、政治問題などを議論するが、それらは、本当に経済問題、政治問題なのだろうか？　自尊心の低いリーダーが引き起こしている人災に近い現象ということではないのだろうか？

・親の言うことは絶対で、反抗もできない。特に「長男だから」……という立場をずっと背負っており、それが当たり前になっている。「なんで自分だけ」とか「長男だから仕方ないよな」とずっと思い込んでひねくれていた時期がある。

・就職や進学で県外へ行くことには大反対。県外に行くと何年も帰ってこなくなるから。両親に会える距離にいなさいとよく言われる。親戚からも同様の圧力がある。

・県外に就職したいが、家族との関係ではじめから選択肢になり得ない。県外に出ていろいろ経験しに行きたい！　と思う反面、県外就職が許されるはずがなく、県内で安定した職業に就かざるを得ないことが苦しい。「この家はアンタがみないといけないんだよ」と母に言われた時、ＮＯとは絶対に言えなかった。「うん、わかっているよ」と言ったものの、ずっとそのことを抱えて現在に至る。

・自営業を継いで欲しいという父親の頼みを断れない。はじめから断れないことを頼まれる。良い子でいなきゃ、頭が良い子でいなきゃ、と自分を苦しめるのに疲れて、高校時代に反動ですべてに投げやりになった。

彼らの生き方は、サーカスの子ゾウに似ている。

サーカスの子ゾウは、鎖で杭につながれて毎日を過ごす。子ゾウは鎖から逃げようと散々もがくが、そのうち自由になることを諦める。大人になり、杭を抜く力を持っても、じっと動けないまま。自分の背中に羽はない、と思い込んでしまったからだ。

一度諦めたゾウは、無感覚だ。その後どんなに大きな体に育っても、逃げる意志を失うという。

沖縄の長男は、「鎖の範囲内」である限り、あらゆることに恵まれる。

家督、財産、事業承継、食事では上座に座り、上げ膳据え膳。常に一族の関心の中心にいる。

ただ、彼らには自分を生きる自由だけがない。足に鎖をつけられて、ベタベタに甘やかされる。

「沖縄の長男問題」とは、自分を生きられない男性（すなわち、自分を愛せない男性）を、沖縄社会がシステマチックに生み出し、麻酔を打った無感覚な人間に社会の要職を任せているという現象であり、その結果、本来社会を活かすべきリーダーたちが、社会の足を最も引っ張ってしまっているという大問題である。

一般に、男性にとって、夢中になれる仕事は人生の「舞台」だ。自分らしく、生産活動に主体的に関わることで、自分に自信を持ち、社会のために頑張ることができる。自分の時間を切り売りする単純労働ではなく、創造的で、社会へのインパクトを実感しながら生産活動に参加できれば、どこまででも頑張ることができる。

「出る杭を打つ」現状維持社会沖縄は、男性たちからそのような仕事と挑戦の機会を奪ってしまっている。「沖縄の男性は働かない」とよく耳にするが、本人の問題もさることながら、沖縄の社会構造がその原因を作っている。

働かない男と、抱え込む女

先日、貧困について議論していたところ、あるウチナーンチュ女性が「貧困の原因は決まっているわ。沖縄の長男が駄目にしているんだわ」と口にした。

冗談っぽく語った彼女の目は笑っていなかった。彼女はウチナーンチュの名家に嫁《とつ》いだ長男の嫁だ。

沖縄では、女性が長男に嫁ぎたがらないという傾向がある。

これは、先祖供養などをはじめとする一族の行事を、長男の嫁が一手に仕切らなければならないということ、旦那である長男が上げ膳据え膳を当然と思っていて、子育てや家事の力になってくれないということ、姑・小姑の圧力が強いこと……などが理由としてあげられるが、それ以上に、そもそも長男がしっかり働いてくれない、という問題が大きい。「沖縄の男は働かない」と、多くのウチナーンチュ女性は口にするが、男性というのは元来脆く、くじけやすい存在だ。[*19] 目的を失うと、心が折れて労働意欲を喪失しやすい。甘やかされて育った沖縄の長男は特にそうだ。

学生に、両親の仕事を尋ねると「お父さんは働いていない」という答えが少なくない。定職に就かず、両親や妻に面倒を見てもらっているという。一家の大黒柱が機能しなければ、家計を支えるために女性が必死に働かざるを得ない。このため、沖縄の女性は大変な苦労を背負い込む。若年結婚、多産、子育て、義理の両親の介護、一族の行事と親族への対応、働かない旦那……。

２０１４年に実施された「自殺対策に関する県民意識調査」によると、20代、30代のウチナーンチュ女性の、実に４人に１人が「本気で自殺を考えたことがある」と答えている。[*20] 40代以降になると、この比率は急激に減少していく。

これらの理由は明らかではないが、沖縄社会（というよりも、沖縄の男性）が現役女性に過剰な負担を押し付けているからではないだろうか？

しかし、皮肉なことに、旦那に対してＮＯと言えず、男性を甘やかしてダメにしてしまっているのは、女性自身でもある。

沖縄社会では、男性を立てなければ、周囲から「男を大切にしない、冷たい女だ」という圧力がかかる。それが男性にとっても自分にとっても良くないことだと自覚はしていても、「どうしようもない」事情が存在する。「自分が苦労して済むことなら」、と我慢してすべてを抱え込む。彼女たちは、あまりにも大きなものを背負い、理解者もなく、クラクションも鳴らすことができない。

・父方の家族は女性が少ないので、男社会で権力がとても強い。おじたちに対して刃向かったり、ＮＯといったりしたことはない。口答えすると怒鳴られ、機嫌が悪くなって面倒くさくなるから。

哀しい事実だが、搾取は搾取する側と搾取される側双方に原因が存在する。それどころか、搾取される側の方に、強く現状維持を望む傾向がある。

その状態を支えているのが、自分を愛せない女性たちである。

女性に従順さを要求する沖縄社会と、女性の自尊心の低さが、自尊心の低い男性社会の問題を大きくしている。

二代目の試練

現代の沖縄は、成功した創業者が非常に少ない地域だ。「県内の創業企業の多くは、創業期から数年経過しても事業規模が大きくならず途中で行き詰まり倒産してしまう。または倒産せずともそのうち衰退し閉業してしまうような事例が多く見られる[*21]」。新しいものを嫌い、昔ながらの商品を買い続ける消費者に、新規の事業者が受け入れられることは、容易なことではない。

必然的に、現代の沖縄の主要企業の代表者は、戦後の沖縄を切り開いてきた創業者の父を持つ二代目、三代目が多い。

彼らは親の期待に沿うよう必死に頑張るのだが、うまく引き継いで当然、失敗は許されない。沖縄社会は、ただでさえ新しい取り組みに挑戦することが難しい。加えて、身内、利害関係者とのしがらみや、守るべき遺産が大きすぎて、「鎖の範囲」を飛び越えることができないから、自分の個性を出すことが難しい。

初代は戦後動乱期に大活躍した豪傑が多いから、その子どもたち（特に長男）は、どれだけ努力しても、親の期待には沿えきれない。そんな自分を心のどこかで恥じている。長男は、なにかにつけて優遇されて、甘やかされるが、その一方で、がんじがらめにされて、冒険をしてこなかったから、失敗の経験も少ない。失敗を乗り越え、自分に向き合ってこなければ、自尊心は育たない。

成功した父親の二代目は、父親に盲従させられている傾向がある。そして、自尊心の低い二代目の下で、さらに自尊心の低い三代目が育つ。自尊心の低いリーダーが、麻酔を打ったまま、沖縄社会をリードして、沖縄の社会構造が強化されていく。

ただでさえ、沖縄社会の年長《シージャー》主義は根強い。

大げさに表現すれば、親の言うことに背く言動は、親類縁者全員に対する「裏切り」とみなされる覚悟が必要だ。

長男であればその「罪」は特に重い。それゆえに、彼らは声を上げようにも上げられず、個性を発揮することができず、失敗を経験できず、打たれ弱い。

偉大な創業者が、自尊心の高い偉大な二代目を育てる方法は一つしかない。「お前がこの会社を潰せ」と腹をくくって任せることだ。

家柄がよくても、高い教育を受けていても、頭脳明晰でも、人脈があっても、資本が潤沢でも、二代目が自尊心を高く持ち、自分らしさを発揮して生きない限り、企業は衰退を免れない。

人を潰す「Ｂクラス」人材

シリコン・バレーで活躍するガイ・カワサキは、２０１１年のTEDxカンファレンスでスティーブ・ジョブズの人事哲学を披露している。

自尊心の高い「Ａクラスの人材は、自分よりも優秀な人材を雇おうとする」。その一方で「Ｂクラスの人材は、自分の地位を守るためにＣクラスの人材を採用しがちだ。採用されたＣクラスの人材はＤクラスの人材を採用し、組織の人材はどんどん劣化していく[*22]」。

自分を愛せないＢクラスの人材は、自分の居場所がなくなることを恐れて、人を育てきれない。

例えば、ホテルの厨房では、先輩職人たちが若い職人に料理を教えたがらないということがある。若手が自分の実力を上回ってしまったら、自分の居場所がなくなってしまう。だから、利用できる人材は可愛がるが、本当にデキる人材はやんわりと、しかし残酷に潰しにかかる。

有能な人材を「潰す」といえば物騒だが、ほとんどの人は無意識だ。

多くみられる方法の一つが、単に無視するというやり方だ。どれだけ価値のある仕事をしても、あたかも無価値であるかのように扱う。そのために悪意すら必要としない。単に無感覚でいればよい。有能な人材は、成果を上げるほど傷ついていく。沖縄社会では、できる人は重宝される。しかしとてもできる人は黙殺される。

自尊心の低い沖縄社会から有能な人材が育ちにくい理由としては、このような原理が働いている可能性がある。その結果として、沖縄社会は深刻な人材不足に苦しんでいるが、補助金を活用した人材育成プログラムや、企業研修制度などの大半は、人を育てるということの本質を見誤っている。

人を育てるとは、自尊心を育むことがその基本であるべきなのだ。効果的な人材育成のためには、自尊心の高い人材に教育を任せなければならない。

しかしながら、沖縄社会には、頑張る人材、目立った人材、個性的な人材をことごとく排除する社会構造が存在するため、そもそも自尊心の高い人材が重用されにくい。大きな変化をもたらしそうな自尊心の高い人材は不必要だとも言える。

以前、沖縄経済の「自立」について、沖縄側から「われわれは魚（補助金）ではなく、魚を取る釣竿（事業）が欲しいのだ」という主張がなされたことがあった。[*23] しかし、皮肉なことに、「釣竿をくれ」と言うこと自体が、自尊心の低さを示している。

自尊心の高い人材は、「自分で釣竿を作りたい。精一杯頑張るので、ご指導ください」と謙虚に教えを請い、失敗を重ねながら学んでいくだろう。

女性登用が進まないのも、自尊心の問題

人材不足が大問題になり、女性登用が「重要課題」とされながらも、社会は相変わらず男性中心だ。

「自尊心の低いＢクラスの人材は、自分よりも力のあるＡクラスの人材を採用しない」という原理に従うと、自尊心の低い男性リーダーが、自分よりもデキる女性を登用するわけがない。

女性の社会進出が進まないのは、「女性自身が登用を望まない」という面もあるが、その原因の一端は男性の自尊心の低さにある。

私の実感として、（日本人）男性は自分よりも能力の劣る女性を好む傾向が強い。意見をはっきり口にする女性は「生意気」「女らしくない」として敬遠され、高学歴・高収入の女性ほど結婚できずに苦しんでいる。

ドラマやアニメなどで典型的に描写される恋愛対象は「可愛くて、不器用で、男が助けてあげると、目をキラキラさせて喜ぶ、若い、女の子」である。

自尊心の低い男性にとって、高収入女性は脅威だ。

男性の未婚率は収入と逆比例するのだが、女性は年収が高くなるほど結婚しにくくなる傾向がそれを物語る。[*24]

だから、自尊心の高いデキる女性は、職場とプライベートの二重苦に苦しむことになる。

職場では、自尊心の低いBクラスの男性の「妨害」を散々受ける。その圧力をはねのけ、組織で昇進し、社会的地位を獲得し、収入が高くなると、今度はプライベートで自尊心の低い男性から敬遠されて、結婚、出産、家庭から遠ざかる。

女性はそれを知っているから、バカなフリをして男性のエゴを傷つけないことが、結婚への近道だと思う。女性が男性を甘やかせば、自尊心の低い男性はさらに打たれ弱くなる。

これが、女性登用問題の見えない本質である。

女性にとっての仕事は、人生の一部に過ぎない。女性が仕事で活躍するために、そして仕事で活躍したいと思うためには、単に仕事場だけでなく、女性の人生全体に関心を注ぐ必要がある。

本気で女性登用を望むのであれば、女性に管理職のポジションを提供するだけでは全く不十分なのだ。

一般論だが、男性は、仕事だけの人生を生きていける（と思っている）。家庭を妻に任せきりにし、友人関係も仕事仲間に絞り、仕事上の成果を上げるために人生の大半を捧げても、（ある程度の）満足感を得ることができる。

女性にとって、そんな生き方はナンセンスだ。男性と比べて、女性は結婚に対する真剣味も高く、家庭を持つこと、子どもを産み育てることも人生の質に直結する。

逆に、男性であれ女性であれ、自尊心の高いリーダーを慎重に選別して、組織的に積極的に登用すれば、彼らは自ずと、実力のある人材にふさわしい機会を部下に提供するようになる。

自尊心の高いリーダーは、自己保身よりも組織の最適化を優先するからだ。

あるべき「リーダーの条件」とは？

女性装の東大教授として知られる安冨歩氏は、リーダーシップにおいて、自分を愛することがいかに大切か、そして、なぜ、自尊心の低い人材に社会を任せてはいけないか、を明確に説明している。

子どもの虐待は、普通に虐待と思っているようなものだけではない。子どもに過剰な期待をし、「いい大学に行かなければ」「大手企業に就職しなければ」と思わせるのもれっきとした虐待だ。そして、「自分は虐待のサバイバーだと思っている」と安冨氏は語る。

「あのね、『勉強しろ』って言葉で命令するのはまだ二流だよ。本当に支配的な親って言うのは、勉強しなさいって言わなくても子供が気配を察して自分で勉強しはじめるような無言のプレッシャーを与えてるの。最初から、親の価値観の枠組みから外れないようにガチガチに仕込んで、そこから外れることすら想像させないんだよ[*25]」

京都大学、住友銀行、東大教授とエリートコースを歩んできた安冨氏は、大学に合格した時も、東大に職を得た時も、ホッとするだけで、ちっとも嬉しくなかったという。成果を上げられなければ、人間として価値がない、と心の底から思っているから、そう教育されてきたから、だ。

「この国は、学歴エリートによって主導されています。私たちエリートはおびえています。誰かに何かを言われるんじゃないかと。とくに、自分に力を振るうことのできる人に叱られるのにおびえています。

50何歳になっても、親と縁を切って10年以上も経っているのに、東大教授で有名人なのに、『あゆむ』という名前を呼ばれただけで私はおびえるんです。子どもを守るというのは、私のような人間を作らないということです。そんな人間に社会を主導させたら、どうなるか想像してください。

なぜエリートは、原子力発電所のような、最初から安全に運営することなど不可能なシステムを安全に運営できると信じられるのか。彼らは偉い人に叱られるのが怖いので、そう信じられるんです。そういう人々にこの国を任せてはいけません。おびえない人に任せないとダメなんです[*26]」

安富氏はこれまで、なぜ人間は、バブルや戦争、環境破壊など、明らかに好ましくないことを引き起こしてしまうのかを研究してきた。彼の結論は、社会が抱える問題の根本原因は、自分が自分らしく生きられないことへの、つまり、自分を愛せないことへの、抑圧された怒りだという。

「〝自分でないもの〟に無理矢理なろうとしても、なれないのでストレスが溜まる。ストレスが溜まると他人に八つ当たりする。また、自分らしく生きている人が許せなくなって、非難したり、自分と同じ苦しみを味わうように強要する。個人レベルでは差別や犯罪、子どもを厳しくしつけたり、虐待したり。

それに抵抗できなかったエリートの子どもなんかは、官僚になって親に復讐する代わりに別のもの、自然環境とか、自国の国土とか、弱者の生活とかを破壊する。恨みの転換だよね。社会全体に、自分でないもののフリが強要されると、社会は病んでゆくんだよ[*27]」

自分を愛せない人は、失敗を極度に恐れ、間違いを認めることができず、組織の最善よりも、自分の体面を保つことを優先する。彼らの無意識の動機は、自分の「心の穴埋め」なので、人をないがしろにしてまでも自分の成果にこだわったり、地位にしがみつくために様々な工作をしてみたりする。過剰に仕事に打ち込んだり、成果に執着したり、地位と名誉に強くこだわったり、「社会のため」に大切な人間関係を後回しにしたり、子どもの教育的成果に執着したり……パターンは様々だが、いずれも個人的な（無意識の）動機に多くの人を巻き込んで、社会を傷だらけにしてしまう。

自分を愛していない人の「心の穴埋め」は、時に強迫的だ。強迫的であるとは、自分の衝動を自分で抑えられないという意味である。自分の思う通りに事が進めば、自分の心の穴が少し埋まるような気がして、その一瞬だけ安心するが、誰かが自分の意に沿う行動をしなければ、心の穴が広がる痛みを感じてパニックを起こす。

安冨氏はこう続ける。

「自分自身であるということを受け入れてる人、自分がおかしいと思ったら、おかしいと思える人。そういう人にしか重要な決定を任せてはいけません。（略）恐怖にかられて決定を下す人に社会を任せれば、社会は滅亡に向かいます。私たちが必要としているのは、おびえない、やさしい、強い心を持った人々です[*28]」

自分を生きることを抑圧されて育ったサーカスの子ゾウは、表面上は穏やかで従順だが、心に激しい怒りと、自己嫌悪を抱えたまま大人になる。その無意識の怒りは、子どもや部下や友人の変化を止める、同調圧力に変わる。

だからこそ、自分を愛することは、最大の社会貢献になり得るのだ。

沖縄に本当に必要なのは「カッコ悪い」勇者

自尊心の高い沖縄の政治リーダーが存在したとして、彼らがどのような政策を実現するかを想像すると次のようになるだろう。

自分を愛するリーダーとは、カッコいい人物ではなく、どれだけカッコ悪くても、どれだけ票を失うことになっても、どれだけ損なことに見えても、一人の人間として人の役に立つために、勇気と覚悟を持って行動する人物だ。

例えば、長年にわたって巨額の経済援助を投下してもなお、貧困問題をはじめとする社会構造の矛盾を解消できないばかりか、その原因を特定すらできていないことを（カッコ悪くも）正直に認め、本当の解決法を見つけるために、党派や主義主張を超え、真に（自分よりも）有能な人たちに権限を譲り、現実を直視した分析をはじめることである。

例えば、沖縄の振興開発のための大量の経済支援は、ウチナーンチュの自立を助けるものではなく、米軍基地維持のためのバーターとして注がれている面があることを素直に認め、もう一度、真の自立のための、現実的な計画を大胆に作り上げることである。

例えば、辺野古基地建設反対の方針が、浦添新軍港移設推進の立場と完全に矛盾していることを認め、あるいは、辺野古埋め立て反対の方針が、那覇空港第二滑走路開発のための埋め立て推進の方針と矛盾していることを認め、その理由を（カッコ悪くも）正直に説明し、県民の理解を請うことである。

例えば、辺野古基地建設に強く反対する行為が、宜野湾市から普天間飛行場を除去することを少なくとも数十年先延ばしにするであろうこと、普天間飛行場を除去する方法にまったく目処が立たないことを、特に、宜野湾市民に対して（カッコ悪くも）正直に認め、それでも沖縄は基地開発に反対するべきであるか否かを県民に問うことである。

保守であれ革新であれ、自分を愛するリーダーとは、例えば、このような政策を決断する人物である。

その人物は、真に誠実な生き方のために、真に良き社会のために、勝てない勝負に挑み、カッコ悪い自分をさらし、その自分の姿に胸を張りながら、孤高に生きる真の勇者である。

そんな人物に投じる一票は、沖縄社会を確実に豊かに、幸せに、価値あるものに変えていくだろう。

そんな生き方ゆえに落選するかもしれない。

しかし、不思議ではないか。選挙のたびに必ず誰かが落選するのに、私たちは、自尊心の高い落選者を目にすることがほとんどない。

自分を愛する心の格差

「すべての問題が自尊心に起因するのか？」と問われるかもしれない。

それに対しては、こう答えたい。

先に、自尊心とは、「自分は、（ありのままで）愛される価値があると信じている」ことだと定義した。人生において、ありのままで愛される体験は、人間にとっての究極の価値である。一人ひとりの人生から、究極の価値が奪われれば、社会が問題だらけになるのは、当然ではないか？

人間が生きて死ぬまでの間の最も価値ある体験が妨げられることが、人間と社会の根源的な問題でなくてなんだろう。

表面上は穏やかで、しかし、深い怒りを溜めて、自ら変化を望まず、現状維持という麻酔を打ち続ける社会。これが問題でなくてなんだろう。

自分の羽を信じられない人は、羽ばたく可能性を考えもしない。自分を生きることを諦めている人は、自立を望まない（できるとも思っていない）。

自分を愛していなければ、情熱は生まれない。心が動かなければ、行動を起こせない。

経済格差の本質は、つまりは、自分を愛する心の格差である。

しかしながら、人が羨む資産家になっても、どれだけの社会的地位を獲得しても、どれだけ美貌に恵まれても、世間から大いに注目される成果を成し遂げても、理想的な温かい家庭を築いても、子どもが立派に育っても、人は、それだけで、自分は（ありのままで）愛される価値があると信じられるようになるわけではない。

私たちの人生は、自分を愛する旅である。

自分を愛するという、人生最大の課題をクリアしない限り、すべてのモノを手に入れても、苦しみの人生を歩むことになる。

第5章

キャンドルサービス

どうすれば自尊心を回復できるのか？

それでは、人が自分を愛するために、すなわち、人が自尊心を回復するために、私たちに何ができるのだろう？

人が自分を愛するため、私たちが究極的にできることは、「その人の関心に関心を注ぐこと」だ。

それは、人のために立ち止まることでもある。

馬鹿げたことに見えても、自分が承服しかねることであっても、時計を外し、携帯をしまい、その瞬間の自分の人生を切り取って、その人に無条件に差し出すかのように接すること。裁かず、誠実に、まっすぐにぶつかること。

人間というものは、とことん社会的な種として生まれついている。誰かとつながることへの欲求は、人間のＤＮＡに組み込まれている。つながりの感覚を失うと、途端に、人生は苦しみに変わる。

「誰かと真につながっている」「自分は一人ではない」という感覚は、あらゆる人間の幸せにとって、決定的に欠かすことができない要素なのだ。

人が、つながりの感覚を取り戻すのは、自分の関心に関心を持ってくれる人との出会いによってである。

「自分のほんとうの気持ちをわかってくれる人がいる」と感じるとき、人は自分の価値を信じられるようになるからだ。

人生でそんな体験を「プレゼント」してくれる人との出会いほど、価値あるものはない。

「関心」については、一般に、大きな誤解がある。

人に対して関心を示すことと、人の関心に関心を示すことは、まったく異なるものである。

人に対する関心とは、自分の関心ごとに過ぎない。関心とは、無関心の一つの形なのだ。

大人は、子どもに関心を持って、勉強が大切だという。就職が大切だという。将来が大切だという。大人が「勉強しなさい」と繰り返しても、それは、大人の関心ごとに過ぎない。子どもはそのことを見透かしていて、「自分のほんとうの気持ちはわかってもらえない」と思うから、大人に心を開くことを諦めてしまう。

子どもの関心ごとは、ほとんど、いつも、親の関心とは別のことだ。勉強が大切なことぐらい子どもだってわかっている。それでもついつい遊んでしまう。そして、子どもはそのジレンマに苦しんでいる。その苦しみこそが、子どもの関心ごとである。

「子どもの人生に関心がある」と信じている親も、子どものそんな心の葛藤には無関心だったりする（無自覚だ）。子どもの関心に対して無関心であれば、子どもからは信頼されない。

例えば、いじめは最悪の行為である。大人は「いじめがいかに酷《ひど》いことか」を子どもに伝えて「教育」しようとする。このとき、大人はいじめの問題に心から関心を持っている。その意図は「正しい」のだが、それはやはり、「いじめを止めさせたい」という大人の（子どもに対する）関心ごとに過ぎない。

事の善悪を横に置いて、子どもたちの関心に関心を注ぐと、彼らの本当の気持ちがわかってくる。

いじめっ子の動機は、「一緒にいじめなければ、自分がいじめられる」、という孤独への恐れだったりする。おびえたいじめっ子に、「いじめを止めろ」と、大人の関心（だけ）をぶつけると、子どもは「自分のほんとうの気持ちがわかってもらえない」と感じ、孤独を募らせて問題を深めてしまう。

いじめっ子の一番の関心ごとは、「ほんとうは、いじめたくない」ということではないのか？　いじめに加担して罪悪感に苦しんでいる、そんな子どもの気持ちに関心を向けるのはどうだろう？

「いじめはきみらしくないよね。本当はいじめたくない、という気持ちに苦しんでいるのではないかな？」、そう声をかけてあげたらどうだろう？

いじめは症状に過ぎない。根本原因は、子どもを突き刺す孤独の痛みである。

その子のために立ち止まる。子どもの関心への関心が、子どもの孤独を癒す。

この視点で、社会を見つめ直すと、驚くほどの人が、人に対して関心を持ちながら、人の関心には関心がないことがわかる。その人が心から大切に思っている（と思っている）人に対しても、である。

無関心が自尊心を殺す

先日、学生からレポートを受け取った。

彼女が小学校3年生の時のエピソードが、色彩豊かな言葉で綴られていた。私は、彼女は絵の天才ではと感じているのだが、そんな才能を持つ人は、文章も絵画的になるような気がする。

彼女が大好きな美術の授業。「学校の一番好きなところを描きなさい」という課題。多くの子どもたちは、ジャングルジムにいったり、屋上にいったり、各自好きなところで絵を描いていた。

彼女のお気に入りは、「夕暮れ時の図書室の扉」。銀色の扉に夕焼けが反射して、色々な光が魔法のように変化するのを見るのが大好きだった。

彼女は、迷わずこの風景を描こうと決め、毎日夕焼けになるのを待って下校時刻まで夢中で描いた。

提出すると、先生の顔が曇った。どこを描いたのかを聞かれたので、図書室の扉の話をすると、先生は「こんな色なはずがない、ちゃんと見て描きなさい」と言いながら画用紙を水道で洗い流した。

私の好きだった黄色がかった空も、ピンク色の雲も、赤く染まる廊下も、水槽が反射して緑色が滲む扉も、全部排水口に流れて行ったときに、涙がとまらなかった。

少し色がのこった画用紙に描かされた絵は、「楽しい私」というタイトルのつまらない絵。自分が好きなように描くのではなく、先生に認められる絵を描かねばならないのだと、そのとき気づいた。

それからは、左利きじゃだめと言われたから頑張って右利きに直したし、箸を正しく持っていると「育ちがいいアピールか」と言われたので、箸の持ち方もわざと崩してみた。人の型にはまろうと必死だった。結果的に、私がつまらなくなってしまった。

……でもこの話をするのも、自分がつまらないことを人のせいにしたいだけだと思うのだ。

彼女のレポートに登場する教員は、おそらく悪人ではない。それどころか、その教員に彼女の絵を洗わせたのは、ある種の「善意」である。「意味不明」の絵を描いていたら社会から受け入れられない、と彼女の将来を案じたのかもしれない。

教員は、彼女に関心があった。しかし、彼女が見ていた鮮やかな光と色には関心がなかった。子どもの関心に関心を持たない大人は、善意で、子どもの自尊心を殺してしまう。

しかし、それ以上にショッキングなことは、彼女がこの出来事を、今まで誰にも話したことがなかったと打ち明けたことだ。それは、これまでの十数年間、彼女が見ている光と色に関心をもつ人が、誰もいなかったということだ。

自分を愛する手助け

人の関心に関心を注ぐ生き方は、言うは易く、行うは難し。

正直なところ、人の話を聴くことは（時には、かなり）つまらないことだからだ。緊張感なく吐露する愚痴だったり、堂々巡りの悩みだったり、自慢話だったり、つまらない冗談だったり、オチのない話題だったり、平々凡々なその日の出来事のことだったり……そんな他人の「つまらない」話に、真剣に、耳を傾けるにはかなりのパワーが必要だ。

敢えてステレオタイプに表現すると、男性にしてみれば、女性の恋愛話は、どうでもいい話にしか聞こえないかもしれないし、女性にしてみれば、男性がなぜあれほどスポーツに熱くなるのかが理解できない。

やりがいのある仕事に情熱を傾けている人は、働く気分になれない人の話に苛立ちを感じるかもしれない。そんなときは、相手の話が途切れるのを待って、「それよりも、僕のさっきの話だけど……」と自分の話を始めたくなる。人は、自分の関心について話をすることが大好きだ。

しかし、この「つまらない」話の中に、自分が気づいていない、何か重要な要素が含まれている。敢えてそういう前提で、全神経を集中して、相手の話を聞いてみる。

問題は、人の話を聴くその深さと努力と覚悟にある。どこまで自分ごととして意識を向けるかという、自分自身への問いなのだ。

一方、子どもが関心を持っているアニメを一緒に見て、「いま、何が起こったの？」と質問して、驚いて、楽しむ親は、子どもの関心に関心を持っている。子どもはそんなお父さんが大好きだ。

そのお父さんが、宿題を手伝ってくれるなら、自分から率先して宿題に取り掛かるようになる。子どもにとって、自分の関心に関心を寄せてくれるお父さんは、アニメよりも大切だからだ。

ひとときの時間を自分のためだけに使ってくれる父親と接して、子どもは「自分のほんとうの気持ちを、お父さんにわかってもらえた」と感じる。誰かとつながっていることが実感でき、自分には価値がある、と信じられるようになる。自尊心が回復し、挑戦する勇気が蘇り、学習が癒しになり、自分らしい人生を取り戻してゆく。自分の問題を自分で解決する力を回復して、勉強という自分の問題に、自分で向き合うようになる。

そのとき、子どもは自分の羽を信じて羽ばたくのだ。

日本一の貧困社会沖縄で学生たちと接していると、彼らがいかに複雑な環境に置かれているかを思い知らされる。

いじめられたトラウマを深く抱える学生。両親から捨てられて激しい鬱を患っている学生。信頼していた男性から性的虐待を受けた男子学生。女子生徒から長期間にわたって激しいいじめを受け、女性恐怖症と自信喪失に陥って精神科にかかっている男子学生。強圧的な両親に自分のたった一つの夢を潰されて自信を失っている学生。暴力的な父親の元で、女性は男に従うように教育（洗脳）されてきた女子学生。生活保護を受けている両親を支えながら、何度も留年を繰り返している学生。自尊心の著しく低いシングルマザーに育てられ、とにかく目立たないようにと言われ続けてきた学生……。

表面上穏やかな家族の中で、無意識に自分を殺してしまっている学生も多い。問題が存在しないように見えるから、誰も、本人すらも、苦しみに気づかない。問いかけると「家族が好き」「自分は幸せ」だという。しかし、一方で、自尊心が低く、あらゆることに無感覚である。

現実問題として、授業で顔をあわせるだけの教員（私）が、彼らの人生の問題を直接解決することは不可能に近い。彼らの人生を理解すればするほど、彼らが直面している問題の深さに圧倒され、自分ができることの小ささに絶望的な気分になる。

しかし、私はあるときから、この問題を違った視点で捉えるようになった。あらゆる接点で、彼らの関心に関心を持ち続けると、彼らはどこかの時点で「自分のほんとうの気持ちをわかってもらえる」と感じるようになる。

その瞬間、彼らの自尊心が蘇る。

子どもの多くは、心から対話する相手を持たない。親も、教師も、親友も、彼らの本当の苦しみを知らない。彼らの絶望は、抱えている問題そのものよりも自分の気持ちが理解されないことにある。大人の、人の関心への関心のなさが、彼らの苦しみを増幅している。大人の無関心の結果、人とのつながりが感じられず、自分を信じる力を失い、自分を愛することができず、問題に立ち向かう勇気が奪われていることにある。

私のゼミを熱心に受講していた女子学生が、プッツリと学校に来なくなった。退学してしまったのだろうかと残念に思っていると、１年半くらいたってフラリと私の授業に現われた。話を聞くと、「本土の大手企業の工場で住み込みのアルバイトをしていた。１５０万円貯めたので、そのお金で留学する」という。

彼女の母親は実の親から捨てられた経験があり、自尊心が極端に低い。不安定な母親との折り合いがつかず、彼女もまた、自分の自尊心の低さに苦しんでいた。

心の中に「誰かが自分のほんとうの気持ちをわかってくれる」という実感が生まれると、少しずつ自分の羽が信じられるようになってくる。自分を大切にする習慣を少しずつ身につけて、自分の問題に立ち向かう勇気を回復したのだ、と彼女はいう。時間はかかっても、自分が稼いだお金で留学し、奨学金にも頼らず無借金で社会に出て行く。彼女は、貧困家庭で育っているが、もうおそらく貧困には戻らない。

私たちが、彼らの人生の問題を、彼らの代わりに解決してあげることはできない。彼らの問題は彼ら自身が解決しなければならない。大人が直接解決してしまうことは、彼らの力を見くびっていることと同じだからだ。大人が彼らの力を過小評価すれば、彼らも自分の力を信じることができなくなる。

子どもの関心に関心を注げば、子どもの心に自分への愛と勇気が蘇ってくる。その手助けをすることが大人の役割だ。

教師ができる唯一の「贈り物」

大学で教え始めてから約８年が経つ。そして、心から実感していることがある。

「教師が人に教えることは不可能である」――。人が自ら学ぶ、教師はその手助けができるだけである。

授業を受けた学生の知識が増えれば、教師が「教えた」ように見える。しかし、「学んだ」のは、学生自身であって、教師はそのきっかけを作り出したにすぎない。

逆に、「教師が、学生に教えている」という思い込みが、学生を教師の枠に押し込め、自尊心を棄損させ、数々の問題を引き起こしている。

機能不全に陥りつつある、日本の教育を再生する方法は、実はとてもシンプルだ。

目の前の子どもたちの関心に関心を向けること。

教師の目的が「学生が、自分を愛する手助け」であり、「学科を教えること」はその手段、と位置付けられれば、教育は一夜にして正常化するだろう。

結局のところ、教師にできることは、毎日、目の前の学生のために立ち止まり、「彼らの関心への関心」という贈り物を届けることだけだからだ。学生たちがその贈り物を置き捨てていくのか、それとも、誰が、いつ、どれだけ持ち帰るのかは予測できない。

教師が人に教えることは不可能だとしても、このことは教育が無意味だということをまったく意味しない。贈り物はいつか必ず誰かに届く。学生たちが自らの意思で贈り物を手に取る瞬間、彼らの人生が変わる。教師の仕事はそう信じて贈り続けることだ。

贈り物は教師の意図したものだけとはまったく限らない。教師が発した何気ない一言、無意識の振る舞い、純粋な思いやりが、学生たちの人生を大きく変えることがある。

だから、真に問うべきは、「正しく教えているだろうか？」ではなく、「自分は、子どもがこう育って欲しいと思えるような大人だろうか？」、つまり、「自分は自分を愛して生きているだろうか？」であるべきなのだ。

人間としての自分に無関心だった、過去の私

人の関心に関心を注ぐこと。それが、子どもたちだけではなく、どれだけ激しく組織を（そして、おそらく、社会を）変え得るか。私は、沖縄でこのことを強烈に体験した。少し、私自身のことを語ることをお許し願いたい。

そのときまで、人が自分を愛するということが、事業や経済に大きな変化をもたらす、などということを考えたこともなかった。従業員一人ひとりの心の変化が、どうして巨大事業を変え得るだろう？

しかし、私が見た現実は、それまでの私の思い込みを完全にひっくり返してくれた。

私が沖縄に縁ができたのは、16年前、事業再生のために恩納村のリゾートホテルを取得したことがきっかけである。

ホテルの経営を人に任せたつもりが、運営上のトラブルに見舞われて、私自身が経営せざるを得なくなってしまい、「半年間の予定」で沖縄に赴いたのがはじまりだ。沖縄という土

地柄を知らず、ホテル事業にも不案内だ。２００４年7月のことである。

事業再生の仕事は、だいたいいつも問題だらけの状態から始まる。買収したホテルは、実質的に10年間赤字が続き、現場では人材が不足し、士気も低く、顧客も離れ、商品も陳腐化して、施設も老朽化していた。

目の前に迫る山積みの問題に直面すると、素人経営者（私）は、「まずはどちらの方向でもいいから走り出そう」という気になってしまう。

私の場合、ニューヨークや東京で経験してきた方法を、そのまま現場に当てはめた。

当時の私は力が有り余っているホテル住み込みの39歳の経営者だ。１日16時間働くつもりでいた。社員を鼓舞しながら信賞必罰で妥協を許さず、自分が先頭に立って誰よりも激しく働く。

激務のために、支配人はトイレで吐いていたが、私は、「責任ある立場の人間が、数百名の従業員のために、吐くまで働くのは当たり前」と、意に介さなかった。

ところが、そうした努力が沖縄では何一つ機能しなかった。沖縄社会には、しゃかりきに働く本土出身の経営者を横目で見て、「だから何？」というような空気感がある。このことは、既に述べた。私はその空気に気がつかず、組織で完全に浮いてしまっていた。

経営者の仕事は「機能させること」である。

口で言うことがどれだけ「正しく」ても、どれだけ「理屈に合って」いても、機能しなければ経営ではない。私にとっては、自分が白旗を揚げようと、他の誰が正しかろうと、機能する方法を見つけることの方が大切だった。逆に、機能する限り、それがどれだけ「常識はずれ」であっても構わなかった。

何がきっかけだったのか、もう思い出せないのだが、全く機能しない現場に直面して、自分が全面的に間違っている、という前提ですべてを見直そうと考えたことがあった。

すると、何かがとても腑に落ちたのだ。

社長という地位にいる私は、いつの間にか「誰よりもホテルを理解している」という気分になりかけていた。「なんでみんな、私の指示に従わないのか」と思い始めてもいた。

当時の私はホテル経営のことを何も知らない。現場で何が起こっているかを理解していないどころか、関心すら持っていなかった。従業員がそんなバカ殿の意見を聞く道理はどこにもない。そのことを考えもせず、（善意で）独りよがりの指示を出していた。

間抜けな話だが、この頃にようやく気付いたことがある。ホテルは人の塊なのだ。私が買収したホテルは当時従業員が約２５０人。その後ろには１０００人の家族がいた。

そして、自分が従業員のことをほとんど知らないという事実に、いまさらのように気づかされた。それどころか、私は、この１０００人の誰の関心に対しても、ほとんど、一瞬たりとも、関心を持っていなかったのだ。

さらには、自分のそれまでの39年間の人生を振り返って、私は全く人の関心に関心がなかったこと、そして、そのこと自体に自分で気がついていなかったことに気がついて、心の底から驚いた。

私は自分なりの誠実さで、組織の最善を追求していたつもりだったし、そのことに誇りを持ってもいた。革新的な事業を形にして、多額の収益を上げることが多くの従業員の人生を豊かにし、社会を前に進める方法だと信じて疑わなかった。資本主義経済というシステムの中で大いに「成果」をあげてきたものの、人の関心に対する関心はほとんど持ち合わせていなかった。

……それは、家族に対しても同じだった。理想的だと思っていた夫婦関係は、自分の関心のパズルに、妻の人生をはめ込んでいただけで、実のところ、私は彼女が、本当は、どんな人間なのか、真剣に彼女の関心に関心を持って向き合ったことがなかったのだと思う。

彼女の関心に関心を注ぐようになると、彼女の関心の中にもまた、私という人間が入っていなかったことに気がついてしまった。つまり、お互いの関心への関心という意味では、夫婦関係は、そもそも存在していなかったのだと思う。

最も近い人間関係に無関心だったということ。それはすなわち、人間としての自分に無関心だった、という意味でもある。

それまでの私の関心のほとんどは、自分の「心の穴埋め」だったようだ。

そのことを、私に気づかせてくれたのは、他ならない、沖縄だった。他の場所であれば、この気づきは得られなかったかもしれない。沖縄には、人が自分に向き合わされる、そんな不思議な力がある。

「私はいつまで働けるのでしょう？」

社長に限らず、上司という立場はスポットライトの強い光を浴びて舞台に立つ役者のようなもので、逆光で客席が全く見えない。部下の誠意にも、ゴマすりにも、哀れなくらいに気がつかない。人の関心に関心がなければ、なおさらである。にもかかわらず、私は自分が組織内で最も正確な情報を有し、最も優れた判断ができるという前提に立ち、自分以外のすべてを変えることで生産性をあげようとしていた。

だが、顧客のために何をすべきかを知っているのは、現場の従業員だ。現場を機能させたければ、彼らの仕事を助けることが、私の仕事であるべきだろう。

従業員が経営者のために働くのではなく、従業員のために経営者（自分）が働くホテルにする。そのためには、一人ひとりの従業員の関心に関心を注ぎ、彼らがどんな助けを必要としているかを知らなければならない。彼らのことを理解せずに、彼らの力になることは不可能だからだ。

まずは上司と部下の関係を逆にしてみたらどうだろうと考え、それを実行してみた。社長は部長のために、部長は課長のために、課長は現場のために力を尽くすということだ。

実際に上司と部下の役割を逆転してみると、上司が部下のことを良く知らなければ「部下の役に立つ」という自分の仕事が遂行できないということに気がついた。そこで、私は「社長の仕事」を1ヶ月半完全に停止し、パートを含む全社員、さらには協力会社や出入り業者と一人最低30分の面接を行い、彼らの話を聴いた。

開口一番、「私はいつまで働けるのでしょう?」と私に尋ねた勤続10年のパートの女性がいた。会社の都合で正社員になれず、パートのまま60歳を超えていた。ホテルの近くに小さなアパートを買い、一人暮らしをしているが、車がないため、実質的にこのホテル以外で働くことはむずかしい。

世の中のほとんどの経営者は、彼女を時給750円（当時）のパートタイマーとしか認識しない。一方、彼女にとっての職場は、10年間いつ職を失うかもしれないという最大の恐れの源でもあったに違いない。

そう感じた私は、まず彼女の恐れを取り除かねばと思い、最近72歳の嘱託社員を採用したこと、従業員の最高齢者は74歳であること、そして「貴方が望まれる限り、いつまでも働いてください」と伝えた。その瞬間の表情の輝きは、今も忘れることができない。その日以来、彼女にとってホテルで働くということの意味が根本的に変わったのだろう。遠くからみていてもまるで別人のような仕事ぶりだった。

一人ひとりと向き合うたびに、250人それぞれの人生から恐れが消え、社員の表情が次々と輝き、会社全体がどんどん変わっていった。あれほど楽しそうに働く社員の姿をみるのは、経営者として本当に感動的な経験であった。

一般的な経営者は社員に恐れを与えることでコントロールしようとするが、それよりも遥かに効果的なことは、恐れを取り除くことではないだろうか。

すべての社員の話に傾聴し、彼らの「直訴」が会社にとっていかに慎ましいものか、そして、その大半がいかに容易に解決できるか、さらに、それがどれだけ長い間放置されていたかを知って、私の方がショックを受けた。

私は、経営者が社員の関心に関心を持つことで、彼らの人生にいかに多大な貢献ができるかを知った。

たった一台の有線電話

地下で働いている施設課の男性との面接の際は、有線の電話を引いてもらえないかという希望があった。地下には携帯の電波が届かないからだという。

有線の電話を引くくらい、たいした費用はかからない。ただその理由に関心があったので尋ねると、家族と連絡を取るためだという。「私用電話のために、会社が電話を引けというのか」、という思いが私の頭をよぎったが、状況を理解しようと努めると、もう少し深い事情があることがわかってきた。

沖縄ではほとんどの家庭が共働きで、夫婦が連絡を取り合いながら、「どちらが子どもを迎えに行くか」というようなやりとりが欠かせない。携帯電話で連絡をするためには、地上に上がらなければならない。それは持ち場を離れて仲間に迷惑をかけるということでもある。また、地下で働いている夫に妻が連絡しようと思えば、会社の代表電話にかけて転送してもらうしかない。それもまた、人に迷惑がかかる。

根元の動機は人間関係に対する気遣いだった。

このホテルでは、たった一台の有線電話が、過去20年間設置されてこなかった。彼は夕方の退社時間になるたびに「有線の電話があったらいいな」と思いながら、小さく傷つきながら、20年間働いてきたのではないか。誰に言うこともできず、あるいは誰かの耳に届いても、「私用電話の問題」として片付けられる、そんな会社で働き続けてきたのだ。

有線の電話が未設置だったのは、お金の問題ではない。技術的な問題でもない。彼の「つまらない」電話の話を、親身になって聴こうと思った人が、20年間、一人も、いなかったからだ。この問題の根本原因は、無関心にある。

会社はちゃんと回っているじゃないか、サービスは整っているじゃないか、顧客はリピートしているじゃないか。こういった声にかき消され、経営的に、この問題は存在しないと認識されていたのだ。

愛を目的に

人の関心に関心を持ち始めると、自分自分に対しても、真の関心が生まれるのだと思う。

「自分の人生で、心から、何よりも、大切にしたいことはなんだろう？」

私はこの問いに、40年間近い人生で初めて、真に、向き合ったのかもしれない。

私の答えは、愛だった。

それは、自分を愛し、真の自分を生き、真に人とつながるために必要な行動を、あらゆることに優先するということだ。

人は誰でも、多様な価値観を持って生きている。そして、それらの価値観には優先順位がある。どれだけ窮地に陥っても自分に嘘はつかない、という人もいれば、人間関係を優先して自分の生活を後回しにする人もいる。

人間でも組織でも、２番以下の価値観が変わっても、ものごとに大きな影響は生じないが、１番の価値観が変わるとき、そこで起こることの全てが変わる。

私には、それが起こったのだと思う。

企業理念を「いま、愛なら何をするだろうか？」と定め、オープンで、人を裁かず、自分に嘘をつかない自然な人間関係を何よりも（仕事よりも）優先して、業務マニュアル、成果主義、収益主義、能力主義のいっさいを組織から消し去った。

時間と気持ちに余裕があってこそ、人は人に対して優しくなれる。夫婦喧嘩を遅刻の理由として認め、仕事に期限を付すことをやめ、担当を希望する者がいないプロジェクトは延期した。

仕事のルールは二つ。「心からしたいことか？」「（本質的な意味で）人の役に立つか？」。

人事考課の基準も二つ。「どれだけ人間的に成長したか？」「どれだけ人の役に立ったか？」。

新しい人事考課は、売り上げ、収益、顧客満足度などの成果指標から完全に切り離した。

売り上げが上がっても下がっても、収益が上がっても下がっても、顧客満足度が上がっても下がっても、人事考課には一切反映されない。

個人の給与、賞与、考課などの人事情報を含むすべてをオープンにし、長年凍結されていた新卒採用を再開し、大量のパートを正社員登用し、社員の給与を「限界まで上げる」ことを経営の重要課題と定めた。

人事考課を全面改訂・施行した月から、顧客のコメントや書き込みが激増し、顧客満足度が前代未聞の水準に上昇した。顧客による「大変満足、満足、普通、不満」の４段階評価の割合は、もともとサービスに定評があるといわれていたこのホテルでも、おおよそ３：４：２：１の水準だった。それが一瞬で、６：３：１：０に定着した。

「大変満足」と答えた顧客の７割がリピートするといわれているため、この数値が倍増したことは経営的に大事件なのだ。売上高利益率５％のホテル事業で顧客のリピート率が５％増加すると、利益が倍増するほどのインパクトがある。

莫大な広告費用をかけてブランドを育てたり、グレードアップのために大改装したり、研修に多大な時間とコストをかけたり、高給でカリスマシェフを引き抜いたり、数々のキャンペーンを行ったり……。突き詰めると、ホテル運営のすべては、顧客からの評価を高めるためにある。人間関係に真正面から向き合うことでそれが実現するのであれば、追加資本を必要とせず、事業リスクもない。

２ヶ月後には売り上げが予算を大幅に上回り始めた。広告宣伝がほとんど不要となり、社員の心の変化が売り上げに与えるインパクトとスピードは、私の想像を超えた。顧客から多くの感動的なフィードバックを受けた代理店からは、「御社は一体何をしたのですか？」という問い合わせが相次ぎ、ホテルの変化に感動した地元のオジィは、手塩にかけたブーゲンビレアの盆栽、自称１００万円相当をホテルに何鉢も持ち込んでくれた。

この「愛の経営」は、私の想像を上回る成果を生み出し、実質10年間赤字だったホテルが２年足らずで、１億３０００万円の経常利益を生む「高収益企業」へと再生した。

多額の利益が生まれれば資産価値は高騰する。取得額が30億円だったこのホテルに対して60億円で売却の話が起こり、私はこれに反対して解雇された。

遠い沖縄に行って数ヶ月、それまで経済合理性と事業戦略性を徹底的に追求してきた私が、ほとんど事前に何の相談もなく、人生の全てをかけて「愛の経営」に舵を切ったことは、東京本社を相当不安にさせたに違いない。

「経済性を完全に捨てて愛を優先する。それが、結果として、究極の経済合理性をもたらす」というシンプルな発想は、実は、極めて合理的なのだが、資本主義経済の常識からはかなり異常に見える。

私は本社でちょっとした「狂人」扱いとなり、解雇前には、精神科にかかるか、半年間休職するかを迫られ、東京本社の社員は沖縄にいる私との接触を禁止された。

これは皮肉でもなんでもないのだが、「狂った」樋口と、30億円の利益を天秤にかけて、本社の経営は「常識的」な選択をしたと言えるだろう。

この解雇前後の一連の出来事によって、私はそれまで持っていたモノを「捨てさせられる」ことになる。仕事、キャリア、収入、役職と地位、お金、財産、家族、子ども、人間関係……すべてだ。

億を超える年収がゼロになり、口約束だった未払い賞与約10億円を放棄した。同じ時期に、離婚を経験し、現金、有価証券、不動産、車……一切の財産を元妻に渡し、家族と子どもを失った。

金融業界の人間関係は狭い。革新的な案件で丁々発止やり合った業界のプロたちからは、「樋口は沖縄に行って終わった」と噂された。納品に散々ダメ出しをしていたホテルの取引業者たちからは、意趣返しで、蔑みの混じった「思いやり」の電話がかかってくる。

中でも、精神的にこたえたことの一つは、心から愛したホテルの社員から、「どれだけ美しいことを言っても、結局あなたは無責任にホテルを捨てたのだ」と告げられたことだ。

人生を捧げてきた金融業界から離れて、自分の過去の実績と能力を評価する人が一人もいない、地縁の全くない沖縄で、お金も、収入も、仕事もない。

お陰でというべきか、恐らく生涯で初めて、自分が本当にやりたいことは何か、自分を生きるとは何か、一切の制約なく心の声に耳を澄ますことができたと思う。

愛に生きること、愛の経営を再び実現すること、が人生の目的となり、それまで重要だと思っていた一切のことに関心がなくなってしまった。沖縄で、志を同じくする生涯のパートナーと出会い、「愛の経営」を専業とする事業再生会社を設立し、本土に戻ることをやめた。

心の筋トレ

経営とは、経営者（私）の心のあり方そのものである。愛の経営を再び実現するためには、私自身の生き方が、自分を愛し、人のために生きる、という条件を満たさなければならない。

人のために立ち止まることが原点であるならば、私もそこからはじめるべきだと思った。

その日、何かの縁で出会った目の前の人の関心に関心を払うこと。那覇市松山の店で、毎晩、利害のない人の話と人生に心を尽くして耳を傾ける「修業」を始めたのはこのためだ。すべてを失っても、権威がなければ物で、物がなければ力で、力がなければ言葉ででも、人を慰め、励まし、力になることができる。目の前の人に、傾聴し、頷き、問いかけ、理解し、勇気付けるために、地位も財産も人脈もいらない。

人は誰でも、自分の話に、無償で、心から、耳を傾けてくれる人を求めている。しかし、現実は、そんな人に出会える幸運は頻繁にはやってこない。だからこそ、自分が誰かにとっての「そんな一人」になることができたら、その誰かは、自分をもっと愛することができるようになる。初めて会った人でも、もう二度と会わない人でも同じ効果がある。

私たちは、「無償の愛」というものは純粋すぎて、手に入れることも、受け取ることもできないものだと考えがちだ。しかし、それは全く違う。継続するかどうかは別にしても、人は誰でも、誰に対しても、いつでも、無償の愛で接することができる。

誰かの幸せに役に立つことができたと感じた瞬間、人は、自分に価値があると思える。自分とはまったく利害のない人の役に立つことができたと実感して夜眠りにつくことは、私に生きる意味を与えてくれた。

……人の役に立つということは、他人のためだと思っていたのだが、私は思い違いをしていた。自分が人の役に立っているという実感は、他人を幸せにする以上に、自分を幸せにしてくれる。他人を癒す力は、自分を活かす力でもある。無償の愛で人に接することは、ありのままの自分に価値を与えてくれる。

残りの人生をかけて、登るべき山を見つけたことは幸運なことだったが、ほんとうに大変なのは、その後だった。何と言っても、私はそれまでの人生で、この険しい山に登るための「心の筋力」をほとんど鍛えてこなかったからだ。

人の関心に関心を注ぐことの重要性が、心から身にしみたとは言え、実際に人の話に心から傾聴することは、本当にパワーのいることだ。愛を人生の目的にすることと、実際に、愛を生きることの間には、相当大きな隔たりがある。

「心の筋トレ」を続けて今年が16年目、延べ３万人と２万時間になる。これだけの時間、人の関心に関心を注いでいると、目の前の人に心から接することが、社会の本質に直接つながっているということに気がつくようになる。

夫が妻の関心に関心を持つとき、社会の最も基本的な人間関係の問題を理解することができる。親が子どもの関心に関心を持つから、教育問題の本質に気がつくことができる。たまたま出会った、酔っ払いの自慢話に関心を注ぐから、組織を支える社員の本当の気持ちがわかる。

自分を見下している医者に敢えて同調する看護師の沈黙の声に耳を傾けるとき、男性社会の中で女性が生きることの意味を知る。看護師に権威を振りかざす医師の傲慢な語り口に心から耳を傾けるから、地位を獲得しながらも深いコンプレックスに苦しむ男性の孤独を知る。

男性に思わせぶりな態度で接するホステスの本音に偏見なく耳を傾けるから、女性が一人で生きていくことの気持ちがわかる。多額のお金を女性に貢ぎ続けるお金持ちの「武勇伝」に関心を持つから、自分に愛される価値があると信じられない男性の痛みを想像できる。

社会の本当の現実とは、社会を構成する、一人ひとりの関心の中に存在する。よそ行きに脚色されていないから、どこまでもリアルだ。

社会を変える「ひとりの力」

一人ひとりの人間が自分を愛すること、が幸せな社会を実現するための必要条件であるならば、社会を良くするということの本質は、縁があって、今、目の前にいる人が、より自分を愛するようになる、その手助けをすることであるはずだ。

その手助けができるのもまた、一人の人間でしかない。政治公約でも、行政プログラムでも、事業戦略でも、福祉対策でも、教育システムでも対応できない。組織や資本やしくみでもない。それは、政治が親の代わりに子どもを愛せないことと同じくらい自明である。

社会問題を根源的に治癒することができるのは、常に、一人の人間だ。

社会問題の根源的解決とは、あらゆる立場の人が、「いま、自分が、目の前の人のために、どう役に立つことができるか」という問いに答えを出し、行動に移す、ということ以外にない。

このことは、私たちが無力であるということではない。社会変革が不可能であることも意味しない。それどころか、社会とは、変革を続ける莫大な力そのものである。誰かが変えようとしなくても、日々、自ら、激しく変わっていく。

社会を変えることは不可能である。社会は自ら変わる。

社会変革とは、「人を変える力」ではなく、「一人ひとりが自ら変わりたい、と思う心に火をつける力」である。

それはすなわち、目の前の一人の関心に関心を注ぐ、または、目の前の一人のために立ち止まる、ということだ。

目の前の一人、とは、私の場合であれば、「愛の経営」における従業員一人ひとりであり、沖縄大学の学生たちであり、那覇の店での3万人であり、今後新たな挑戦で出会うであろう無数の人たちである。ＳＮＳでのメッセージや、本書を通じた読者との「対話」も含まれると思う。

それはすなわち、自分はどう生きるか、という問いである。そして、その問いは、本質的に深い社会性を帯びている。何といっても、社会は、一人の力によってしか、癒すことができないのだから。

本書をここまで読んでくださった読者の中には、「沖縄の貧困問題、そして様々な社会問題を根源的に治癒する根本原理が書いてあると思ったのに、その結論が『ひとりの力』か」と感じている方も少なくないと思う。

私がこれまで直接会話してきた多くの人も、そう反応しがちだったからだ。私の結論を聞いて、いかにもがっかりした表情を浮かべたり、関心すら示さない人は少なくない。「目の前の人のために立ち止まる」ことが、社会全体の問題解決としては、あまりに微力で、あまりに平凡に感じられるからだろう。

多くの人がそう感じているのは、それが体験的に正しいからだ。

しかし、そこには一つだけ例外がある。あらゆる問題解決は、その根本原因を特定したときのみ、対症療法ではなくなる。目の前の一人のために立ち止まり、その人の関心に関心を向けるとき、たった一人の力が、社会を癒すエネルギーになる。

人は、難しい問題に対して、難しい解決方法を好む傾向がある。高度な専門性を駆使したり、大きな組織を動かしたり、大規模な経済援助を行ったり、社会の注目を集める革新的な方法を試したり……。

対症療法としては、見事な効果があり、社会的にも評価されるから、ほとんどの人がそのやり方に関心を持つのは当然である。

しかし、繰り返し述べるが、その認識はおそらく間違っている。

社会問題の根源的な治癒を望むのであれば、自分がたった一人で、最もシンプルで、最も過小評価されがちな行動を選択する以外にない。ほとんどの人が避けている選択こそが、正しい選択なのだ。

私は、社会変革とは、キャンドルサービスのようなものだと思っている。キャンドルサービスで、今、この瞬間に火を灯すことができる相手は、ほとんど、いつも、一人だが、その「瞬間」は、人生が続く限り何度もやってくる。毎日繰り返せば、一年で３００以上を灯すことができる。あるいは、一度でつかないキャンドルも、３００回目に火がつくかもしれない。

一人から「火」を受け取った人は、また、誰かに「火」をつける。一人が３００人に、その３００人が３００人に、その３００人が３００人に火を灯すだけで、２７００万の火が灯る。そして、そのメカニズムは、永遠に繰り返される。

社会で最も大きな力とは、一人の力である。

そのことを信じ、力を生かすために、正しく問い続けなければならないのである。

日本の端っこから、日本がよく見える

……さて、本書では、これまで「沖縄の問題」という前提で議論してきた。すでに多くの読者は気がついていると思うのだが、実は、そのほとんどすべての議論は、日本社会全体に

当てはまる。

同調圧力があるのは沖縄だけではない。本土社会にも画一を好む強い圧力が存在する。「出る杭は打たれる」という格言は、日本社会の代名詞のようなものだ。日本社会は、新しいことへの挑戦に不寛容で、自分を生きるよりも社会の枠組みを、創造よりも前例を踏襲する社会風土を守り続けている。[*1]

日本の長時間残業は、上司や同僚よりも早く帰れないという同調圧力が大きな原因だ。ろくな報酬が支払われないにもかかわらず、滅私奉公を半ば強要されることも珍しくない。[*2]

沖縄の労働生産性は日本最低水準かもしれないが、日本の労働生産性こそ、先進国の下位から数えた方が早いくらいだ。[*3] 主要先進７ヶ国（Ｇ７）の中では、実に47年連続で最下位である。[*4]

人間関係のバランスを気遣って、ＹＥＳ、ＮＯをはっきり言わず、ものごとを曖昧にしがちなのも日本文化の特徴そのものだ。

日本人は、仕組みや製品を整然と作り上げることは得意だが、突飛な発想や、とんでもない失敗から成果を生み出すような、強い個性を許容する寛容さに乏しい。現在の日本経済が苦しんでいるのは、日本社会がイノベーターを育ててこなかった（というよりも、殺してきた）からだ。

成功することよりも失敗しないことを優先しがちな日本社会では、イノベーションは起こりにくい。イノベーションが生じなければ、生産性は上がらず、国際競争力は低下し続ける。そこで、リストラを行い、非正規雇用を増やして大幅に人件費を減らし、かろうじて企業利益を確保している。まるで沖縄問題のデジャヴュのようだ。

量的な成果や「簡単便利」に対する意識が強く、生活の質、環境、文化的・芸術的美しさなどに価値を置かない文化も、両者は、実は、とても似ている。

安冨氏が「精神的虐待」と指摘している、「最初から、親の価値観の枠組みから外れないようにガチガチに仕込んで、そこから外れることすら想像させない」文化は、沖縄も日本も瓜二つであるように見える。

海外から見れば、日本人はいつも人の目を気にしていて遠慮がちだ。私がアメリカで生活していたとき、映画館にコメディを見に行ったのだが、観客が大声を出して楽しそうに笑ったり歓声をあげたりしているのを見て、日本とのあまりの違いに驚いたことがある。日本は、人の目を気にして、声を出して笑うことすらもはばかられる社会だということを知った。

有形無形の参入障壁が高く、海外事業者がなかなか日本に進出できないことも、沖縄に似ている。日本人の独特な嗜好は、機能や価格に勝る海外製品を排除してきた。社会を固定し、既得権益を守ろうとする力は強固で、規制緩和は骨抜きにされることが多い。商品性や目先の経済合理性よりも、長期の関係を重視する姿勢は、株式の持ち合いなどの文化を生んだ。関係が重視される社会では、海外からの進出は難しい。

自己主張し（でき）ない従業員、人の目を気にする（不自由な）消費者、横並びの（現状維持を好む）経営者、三者が織りなすバランスが、沖縄の社会構造を作っていると述べたが、その構造は、そっくりそのまま日本社会にも当てはまる。

「無感覚さ」も、日本全体の傾向だと言えよう。

「沖縄大学の私の授業で、薄暗い中で学生が電気もつけずに待っている」と述べたが、私のコラムを読んだ東京の大学教員から、この現象は全国的に見られるし、いわゆる高偏差値大学であっても日常的な出来事だと指摘があった。

教育の枠組みが「余計なことはしない方がいい」という動機を生み出している。若者が、学ぶ目的と動機を失っていることも、日本全体の問題だ。

「無感覚」なのは学生たちだけではない。イギリスの慈善団体「Charities Aid

Foundation」（ＣＡＦ）が毎年発表している「World Giving Index」（世界おもいやり指数ランキング）において、２０１８年の日本の総合ランキングは１４４ヶ国中１２８位、「助けを必要としている、他人を助けたか？」の項目は、実に１４２位だ。[*5]

私は、これは日本人の冷たさというよりも、自尊心の低さを表していると思う。自分を愛せない人は、人の役に立つことすら恐れるからだ。自分に自信がないから、「もし、ありがた迷惑だったらどうしよう」という考えが頭をよぎって、行動に結びつかない。

クラスメイトのために誰も電気をつけることができず、暗闇の中、ただ授業の開始を待っている学生たちの姿と重なる。

２００５年、心理学者デヴィッド・シュミットとジュリ・アリークが1万７０００人を対象に実施した自尊心に関する世界調査で、日本は53の調査対象国中、圧倒的な最下位だ。

この傾向は、「ドクター・ハピネス」として知られる、イリノイ大学のエド・ディーナー博士らの研究結果でも確認されている。[*6]

そして、おそらくその結果として、日本人の幸福度はそれほど高くない。物質的に豊かで、便利で、清潔で、安全な社会に暮らしているにもかかわらず、である。

ＯＥＣＤが発表した２０１７年版の生活満足度（Life Satisfaction）ランキングで、日本は加盟40ヶ国中32番目（下から9番目）である。[*7]

沖縄社会は日本で最も自尊心の低い地域かもしれない。しかし、そもそも日本人が世界で最も自尊心が低い国民なのだ。

沖縄問題は、日本問題でもある。

同様に沖縄と本土社会の関係は、そのまま日本と海外との関係に類似している。本土視点による沖縄問題の数々は、実は、海外から見た日本問題そのものだ。

本土社会から見れば、ＮＯと言えずに自分を生きられないウチナーンチュが不自由に感じられるかもしれないが、それは例えば、アメリカ人が日本人を見て感じていることそのものである。

バブル時代、日本が一人あたりのＧＤＰでアメリカを抜き、日米貿易摩擦がピークに達した時、石原慎太郎と盛田昭夫の共著『「ＮＯ」と言える日本』がベストセラーになった。[*8]

本書はアメリカ批判というよりも、日本の自尊心のなさについてのエッセイである。日本人の心にセンセーショナルに響いたタイトルは、裏を返せば、日本人がいかにＮＯと言えないか、そして、人にＮＯということをどれほど恐れているかを表している。

沖縄と日本と世界は「入れ子構造」になっている。沖縄問題の本質を理解することは、日本の中からでは気がつくことができない日本問題の本質を理解することにつながる。

水槽の中に住んでいる金魚に、水のことを尋ねると、おそらく金魚は「水、なにそれ？」と答えるに違いない。生まれたときから水の中に住んでいる金魚は、自分にとって最も重要なもの（水）の存在をほとんど知らずに生きている。金魚が水（社会）のことを理解するためには、自分が暮らしている水槽を、外から眺めることがとても役に立つ。

日本社会で生まれ育った私たち日本人は、日本問題の本質に気がつく機会をほとんど持たないのだが、日本の端っこの沖縄は、文化的にも地理的にも本土と最も離れているため、日本という「水槽」を外側から眺めることができる特別な場所だ。

ウチナーンチュが沖縄社会で自分の居場所を獲得するために、どれほど人間関係に苦慮しているか。その現実を理解するにつけ、どちらかと言えば常に社会から浮いた存在だった私に、長年日本社会に感じてきた「生きにくさ」の感覚が蘇ってきた。

同調圧力が強い社会に生きる日本人もまた、自分を生きにくく、自分を愛することが難しい。私は、沖縄社会を掘り下げるまで、このことをすっかり忘れていた。一生沖縄で生きていくことを決め、この社会の根深い問題に、自分ごととして向き合って来なければ、私は、日本社会の本質的な問題に気がつかないままだったかもしれない。

沖縄問題とは、濃縮された日本問題である。そしてこのことには利点がある。問題が激しく表面化している沖縄だからこそ、問題の根本原因にたどり着きやすい。

気の利いた例ではないかもしれないが、沖縄社会と日本社会の違いは、木製バットと金属バットの違いに似ている。金属バットは芯が広くて、多少詰まっていてもヒットになるが、木製バットは、真芯を捉えなければ、手が痺れて痛い思いをする。

例えば、自分を愛することができず、心が無感覚になっている学生は本土にもいる。しかし、おそらく、沖縄の私の置かれた環境と比べると少数だし、逆に情熱をぶつけてくる学生も多い。だからこそ、本土では通りいっぺんの動機づけが何となく機能してしまうのだ。

それは、本土に同じ心の問題が存在しないことを意味しない。対症療法的な成果が上がりやすいから、問題の本質が表面化しにくいだけなのだ。

沖縄に対して、失礼な言い方に聞こえるかもしれないが、真剣に人と向き合う人にとって、沖縄は厳しい「高地トレーニング場」である。酸素濃度が薄いから、激しく精神と肉体を鍛えてくれる。沖縄社会の問題は、表面的な対策がまるで機能しないほど根深く、深刻化しているからこそ、リアルでごまかしのない分析によって根本原因の根本原因を捉え、本質的、根源的な解決方法を特定することができなければ、何も機能しない。

自分を生きるとは何か？　この問いに、とことん向き合う場所として、沖縄ほど厳しく、そして理想的な場所はない。

この地だからこそ、本土では決して見つけることのできない、根本原因にたどり着くことができる。

おわりに　これからの沖縄の生きる道

三つの大きな波

さて、これからの沖縄は、そして日本は、どのように変化していくのだろう。沖縄社会と日本社会が問題の根本原因を共有しているのであれば、沖縄社会の未来を考えることは、日本社会の未来を占うことになるはずだ。

沖縄社会で優先されてきたことは、「変わらないこと」だった。しかし現在、その「変わらない沖縄」が、いわゆる本土的な方向へ激しく変化しつつある。大きな三つの波は、それぞれ労働者、消費者、経営者に対応する。

第一の波は、人口動態と労働力不足である（労働者の変化）。

日本が直面している少子高齢化と人口減少の問題は、沖縄にも当てはまる。日本の地方で唯一人口が増加している地域であるとはいえ、労働の担い手である生産年齢人口はすでに2011年にピークを打ち、以来、減少傾向が止まらない。沖縄経済の好景気と相まって、激しい労働力不足が深刻化しているが、近い将来この状態が解消する見込みはない。

ほとんどの産業で有効求人倍率が急激に上がり始め、建設業界では人手不足で公共入札が不調に終わったり、飲食業では従業員を確保できずに黒字でも店をたたむケースがある。

人口動態は社会変化の大津波だ。労働力が慢性的に不足する市場では、人が最も稀少な経営資源になる。これまで人を最も粗末にしてきた（無意識だが）沖縄の経済構造は大きく転換せざるを得なくなるだろう。

従業員を惹きつけ、引き止めることができなければ、これからの事業は成り立たない。賃金と福利厚生を大幅に引き上げることは当然の流れだが、それよりも何よりも、愛があり、自由で、働きがいがあり、幸せな労働環境を作り出さなければならない。

労働者の報酬を大幅に引き上げ、同時に事業収益を確保するためには、個性を活かし、異端の発想を助け、イノベーションを実現する、生産性の高い事業体質を作り上げなければならない。

……しかしこれは、今まで沖縄が最も避けてきたことである。

「沖縄が嫌い」と言い出し始めたウチナーンチュ

第二の波は、情報の流れが自由になったことだ（消費者の変化）。

社会学者の宮台真司氏が、著書『これが沖縄の生きる道』（亜紀書房）で印象的なことを書いている。２０１０年頃を境にした傾向として、沖縄県出身の学生が「沖縄が嫌い」だと言い出していると言うのだ。

興味深いことに、福島県出身の学生も、同じ時期から、やはり「福島が嫌いだ」と言い始めたそうだ。２０１０年だから、これは福島第一原発事故よりも以前からの傾向だ。そうだとすると、２０１０年頃を境にした、広範な社会現象である可能性がある。

意外に思ったので、私も、本土で生活するウチナーンチュに会うたびにこの質問をするのだが、確かに総じてそのような傾向があるような印象を受ける。いったい２０１０年頃に何があったのだろうか。

先日ジャーナリストの津田大介氏にこの話を投げかけたときに、指摘を受けた。２０１０年はソーシャルネットワーク元年に当たるのだと言う。この年を境に、スマートフォンが普及して第2次ツイッターブームが起き、映画『ソーシャル・ネットワーク』がヒットしてフェイスブックに火がついた。

２０１１年の東日本大震災の被災地では電話の代わりにツイッターが大活躍した。多くの人の生活に欠かせなくなったＬＩＮＥがリリースされたのもこの年だ。時を同じくして、全国的に新聞の発行部数が急減し始める。

規制が解かれて、市場と経済が自由になる傾向は１９８０年代からのものだが、そこに、インターネット、ＳＮＳ、スマートフォンなどの登場が加わって、情報の流れが一気に広がった。

例えば、これまで、沖縄県内の問題が公の場で語られることは少なかった。沖縄では、「沖縄内部に問題が存在する」という論調はタブーに近かったからだ。

それが、２０１０年以降、沖縄社会の複雑な現実や、新たな視点の数々が、ソーシャルネットワーク系メディアを中心に県内外に伝わり始めた。ネットの世界は玉石混淆《ぎょくせきこんこう》と言われるが、情報の正確性以前に、「物事を見る視点は一つではない」という当たり前の真実が伝わるだけで、大きな影響力を持ち得る。

前出の「沖縄から貧困がなくならない本当の理由」も、２０１６年にインターネットで配信して以来ソーシャルネットワークを中心に拡散し、これまでに少なくとも１００万人に読まれた。出版社の力を借りずに、数万字を超えるノーカットの論考をこれだけ広範囲の人たちに伝播するようなメディアインフラは、２０１０年以前には事実上存在しなかった。

自由な生き方が可能だという事実が不可逆的に社会に広まれば、ウチナーンチュの消費行動も自由になる。同調圧力やしがらみによって商品を選ぶのではなく、純粋に良いもの、好きなものを選ぶことが「あたりまえ」になる。

私の感覚では、確かに２０１０年頃を境に、県内消費者が、これまでの沖縄の定番ではない商品やサービスを、どんどん受け入れるようになっている。ウチナーンチュを縛っていた同調圧力が弱まり、消費者が自由になりつつあるためだろう。

例えば、10年前にはほとんど見かけなかったラーメン屋、焼き鳥屋が街に溢れ、本土出身者が経営する洒落たカフェやパン屋さんやスイーツ店が沖縄の消費者に支持され始めている。

２０１５年に県外の地銀としては戦後初めて沖縄支店を開設した鹿児島銀行は、低金利の住宅ローンで人気を集めていると報じられていたが、そのわずか3年後、2店舗67人体制に増強する計画が発表された。[*1]

これまでの沖縄では、決して起こり得なかったことだろう。

消える「低賃金の労働者」と「優しい消費者」

沖縄観光連盟が実施した「大学生の泡盛に関する意識調査」によると、好きなアルコールの1位は焼酎だった。泡盛の人気はビールや酎ハイ、カクテルよりも低く、泡盛を「ほとんど飲まない」学生が全体の65%を占めていることがわかった。飲まない理由は「泡盛がおいしくない」が最多だ。

逆に、泡盛を飲む理由の第一は「付き合い」だ。人間関係のバランスを取るために泡盛が飲まれているが、わざわざ自分で買ってまでは、という感覚だろう。[*2]

少し前までは、例えば久米島出身者が久米島の久米仙をキープしないのは、どこかしら地元に対する裏切りのニュアンスがあったように思う。ところが、やはりここ10年くらいの傾向として、泡盛の代わりに焼酎を飲むウチナーンチュが増えている。理由を聞くと「おいしいから」だという。

逆に考えると、今まではおいしいと感じていなくても、泡盛を飲まなければ不都合のようなものがあったのだろう。その感覚が消え始めている。

そもそも、気乗りのしない飲み会に参加しない人が増えている。空前の好景気と言われている沖縄にあって、那覇市の歓楽街松山は、10年前と比べると驚くほど人出が減っている。最大の要因は、部下が上司の誘いを断（れ）るようになったからだ。

私自身のことを思い返しても、新人時代は毎週のように飲みに出ていたが、もしそのとき上司に誘われていなかったら、飲みに行く回数はずいぶん少なかったに違いない。

つまり、日本の歓楽街は、上司の同調圧力と、ＮＯと言えない部下たちによって支えられていた面が大きかったということだろう。その前提が崩れかけている。

賃金が上がり、消費者が自由に商品を選択する。それは「無敵の沖縄企業」を支えてきた「低賃金の労働者」と「優しい消費者」が消えていくことを意味する。

人件費が上昇すれば、沖縄企業の収益力は急激に低下する。これまでの沖縄企業は、人を活かさず、変化に挑まず、失敗を恐れ、事業力を磨いてこなかった（その必要がなかった）。いざ、生産性を高めて費用の上昇分を吸収しようと試みても、そのために必要な事業力と創造的な人材が決定的に不足している。

すでにその兆候は顕在化し始めている。

生産年齢人口の減少と好景気が重なる沖縄で、求人倍率と最低賃金は上昇し、労働者不足が企業収益を圧迫しはじめている。人件費が急増する一方で、イノベーションに乏しい沖縄企業の生産性は低いままだ。２００９年以降、沖縄企業の営業利益は、実に約50％減少した。[*3] 加えて、「優しい消費者」が消失すれば、沖縄市場を県外企業から守ってきた鉄壁の参入障壁が崩壊する。商品・サービス力に乏しい沖縄の地元企業は、急速に競争力を失う可能性が高い。

「本土化」する沖縄経済

第三の波は、大量の経済援助が、沖縄に本土経営者を引き入れる大きな原動力になっていることだ（経営者の変化）。

沖縄経済は「ザル経済」だと指摘されてきた。ザルに水を注いでも、網目からこぼれるばかりで、水は一向にたまらない。大量の経済援助を受けながら、その多くが本土企業の売り上げとなって本土に還流し、沖縄地域で資金が循環しない。経済援助の多くは、本土企業を利するばかりになっている、という議論だ。

実際、沖縄防衛局が２０１３年度から17年度までの５年間に契約した公共事業の額は合わせて２５１３億９７１７万円で、このうち県外企業が53％を受注している。[*4]

主力であるはずの観光業も、観光収入が２００６年から２０１６年までの10年間で１・６倍に増加していても、県内の宿泊・飲食業、卸売・小売業などの収入は全く増えていない。[*5]

地域経済の自立度を表す地域経済循環率は78・８％で全国ワースト４位、沖縄県外に「流出」した経済を表す「漏れ率」は21・２％で、１兆１０５億円が流出している。[*6]

沖縄で「ザル経済」が報道されるときは、「本土企業による沖縄搾取」という政治的なトーンで表現されがちだが、この論点には「沖縄の社会構造」という重要な視点が抜け落ちている。

変わらない（変わることができない）沖縄に、（おそらく必要以上の）大量の経済援助が投下されても、現状維持を優先する沖縄の経営者にとっては、それを売り上げに変える積極的な意味がない。その結果、現状維持の水準を超える「残り」の売り上げは、当たり前のように本土企業が獲得していくことになる。

先に、沖縄企業の「無敵さ」と沖縄市場の強固な参入障壁について論じたが、それは既存の市場を守るときに限られる。市場が急激に拡大する際の創造的な事業活動において、変われ（ら）ない沖縄企業は、本土企業に歯が立たない。

大量の経済援助が沖縄市場を拡大し、このことが大量の本土企業の進出を許す結果となっている。特に、米軍普天間飛行場の辺野古移転問題が再燃し、沖縄への経済援助が再び爆発的に増加した２０１２年以降、この傾向が強まっている。[*7] 多くの本土企業が沖縄に進出し、（少なくとも経済的に）沖縄に根付き始めている。

何の悪意もないと思うが、本土企業の経営者は、ウチナーンチュの関心ごとには関心がない。本社から沖縄地域における売り上げ獲得を大いに期待されているのだから、それが一番の関心ごとであるのは当然だろう。「沖縄のため」を思って（善意で）経済振興を進めるが、本書で述べたような沖縄の複雑な問題を理解する由もない。彼らが活躍するほど、対症療法が地域に浸透し、沖縄の社会問題は深まっていく。

ウチナーンチュが「沖縄の（既得権者の）ため」に獲得した大量の経済援助が、良くも悪くも沖縄社会を「分解」しつつある。だから現実は、ザルというよりも、トロイの木馬のイメージに近い。

参入障壁が崩れかけた沖縄で、大量の経済援助が（歪んだ形の）新しい市場を生み出し、大量の本土企業を沖縄に引き込んでいる。それはすなわち、本土的な価値観を持つ経営者がどんどん影響力を持ち始めているということだ。

このまま何も手を打たなければ、沖縄企業は利益を出せなくなり、本土・外資系企業による買収が加速するのではないか。野村ホールディングスとカーライルによるオリオンビールの買収はその端緒かもしれない。

「第三の道」はあるか？

このように沖縄は、猛スピードで「本土化」しようとしているが、そこには、大きな問題がある。いわゆる本土的な経済が、決して人を幸せにしないということだ。

沖縄以前の私は、その世界で20年間走り続けてきた。だからこそ、そのことが痛いほどわかる。

本土的な、成果主義的な経済は、競争に勝利し、（経済的な）成果を上げることを至上の価値とする。そのような社会で自分を愛することは難しい。自分を愛することができなければ、社会問題は治癒しない。どれだけ成果を上げても、人生を心から楽しむことができない。

今まで沖縄を「変えよう」としてきた者たちは、そのほとんどが、他者（本土）の論理と経済を（無意識に）押し付けようとしてきた人たちだった。

本土視点による、沖縄が目指すべき変化とは、基本的に「本土並みにせよ」という発想に近いと思うが、それは「劣化バージョンの本土化」を促しているだけだ。さらに、「劣化バージョン」であっても、機能すればいいのだが、本土の成果主義的・競争経済は、人間にとってあまりに生きづらく、そもそも目指すべき価値があるとはいえないような気がするのだ。

明らかなことは、沖縄、本土、どちらの社会も、自分を愛することを育む環境からは程遠いということである。

変わらないことも地獄、変わることも地獄……。沖縄が、そして日本が、幸せな社会に変容するための、「第三のデザイン」は存在しないのだろうか？

はっきりしていることが一点ある。

それが沖縄であれ日本であれ、現代社会の問題を根源的に治癒する「第三のデザイン」は、「人の関心に関心を注ぐ」こと、そして、「人が自分を愛することの手助け」を基軸にした社会だということだ。

これこそが、人が人の役に立つということ、人が人を愛するということ、人間が人間らしく生きる社会ということ、の究極的な意味だからだ。

社会が人間の幸せのために存在しなければ、いったいなんのためにあると言うのだろう。

私たちは、もう一度「正しく問う」必要がある。

人が自分を愛する手助けを何よりも優先する、社会とは、政治とは、行政とは、経済とは、金融とは、教育とは、家庭とは……どのようなものだろう？

ここでもまた、「ひとりの力」以外に、それを実現する方法はない。

次の私の課題は、「第三のデザイン」を具体的に描き、現実社会で形にすることだ。

自分を愛する人を育むことを目的としてデザインされた、「愛の経営」である。

付記

本書の原稿を書き上げたのが３月。政府が新型コロナウイルス拡散防止を目的とした緊急事態宣言を全国で発出したのが４月16日、この付記を書いているのが、それから約１ヶ月後の５月15日である。

このわずか数ヶ月間で、私たちが住む世界は一変した。日本中の大半のイベント、商業施設、集会・展示施設、運動・遊戯施設、劇場、遊興施設、学校、社会福祉施設が休業し、街から人が消え、海外旅行者はほぼ消失し、航空会社をはじめ、多くの事業が破綻の危機を経験し、大量の労働者が職を失い、商品相場、株式市場が暴落し、私たちの生活も激変しようとしている。

それでも日本はまだ軽微かもしれない。新型コロナウイルスは文字通りグローバルに拡散しているために、世界経済は急速に縮小しつつあり、ほんの数ヶ月前には全く想像できないことが起こりつつある。

……不謹慎な考えかもしれないのだが、人が亡くなってしまうことと、経済的に困窮するということを（敢えて）除いて考えると、新型コロナウイルスは、二酸化炭素の放出を大幅に減らし、空気汚染を激減させ、不要不急の（無駄な）仕事を減らし、非効率な会議を減らし、同調圧力的な仕事を減らし、刹那的な娯楽を減らし、無駄な飲み会の誘いを断りやすくし、自宅での料理を増やし、家族の会話を増やし、一方で、夫婦間であっても親子間であっても（既に破綻していた）偽りの人間関係を表面化させ、おそらく子どもを増やす効果がある。

つまり、環境問題、働き方改革の問題、家族の絆の問題、自分を見つめるという問題、大切な人を大切にするという課題、少子化問題……現代社会が抱える大問題の全てに、全世界的に、爆発的に（おそらく正の）影響力がある。これらのことを、人為的に、政治的に実現することは、ほぼ不可能ではないか。

しばらく後になってからでなければ、この出来事の本当の意味は分からないのかもしれないが、その予兆はある。新型コロナが、単なる感染症の問題、経済縮小の問題を超えて、世界的な社会の枠組みが大きく変化するきっかけになるという可能性だ。なぜならば、私たちがこれまでどうしても必要だと信じ、守り続けてきたことが、実はそれほど重要ではなかったかもしれない、というパラダイムシフトが全世界で生じているように見えるからだ。

実は、私が沖縄に来て以来、16年間考えてきたのはこのことだ。（持続性のない）現代社会の、資本主義経済の枠組みが大きく変容（もしくは消失）した後で、どのような世界が生じるのか、あるいは、生じるべきなのか。社会は何を準備すればよいのか。そのために私は何をすべきなのか。

もちろん、私は「新型コロナ」を想定していたわけではないが、本書は、いわば「コロナ後の世界」を描くために書いている（た）ようなところがある。人間のための経済だ。

ここでもう一度、本書の結論を繰り返したいと思う。「コロナ後の世界」は、一人ひとりの人間が自分を愛することを目的として、デザインされる。なぜならば、それが、人間が幸せに生きる唯一の選択肢だからである。

……もちろん、私たちが、それを望めば、であるのだが。

謝辞

私たちの人生は、「あの人に出会っていたからこそ」「あのことがあったからこそ」と思える無数の出来事で形作られている。光文社新書という素晴らしいレーベルでの出版を可能にしてくださった小松現さん。小松さんに私を引き合わせてくださったのは、日本を代表する名編集者・柿内芳文さん。柿内さんを「ぜひに」と、足を運んで「口説いて」くださった、ジャーナリストの津田大介さん。「津田さんを樋口に会わせたい」と、出会いをアレンジしてくれた、写真家の初沢亜利さん……。

どこまでも続く人間関係、その人と人の間にもまた、無数の人間関係が存在する。好きな人も、嫌いな人も、知り合いも、他人も、過去に生きていた人も、現代の人も、そして、決して会うことのない人でさえも……。そのうちの一つが欠けただけで、本書は影も形もなかったはずだ。その全ての方々に深く感謝したい。

あらゆる出来事は、「ひとりの力」が積み重なって出来上がっている。たった一冊の本が、
そのことを証明しているのだと思う。

樋口耕太郎

＊6　2019/10/18「沖縄県内の利益、21%が県外へ流出　経済循環率は全国ワースト4位　観光客増も『ザル経済』」琉球新報 Web News
https://ryukyushimpo.jp/news/entry-1010150.html

＊7　2016/9/30 樋口耕太郎「沖縄から貧困がなくならない本当の理由（6）貧困の本質」沖縄タイムス＋プラス
https://www.okinawatimes.co.jp/articles/-/64429

＊５　CAF World Giving Index 2018, October 2018:34, 36
https://www.cafonline.org/docs/default-source/about-us-publications/caf_wgi2018_report_webnopw_2379a_261018.pdf?sfvrsn=c28e9140_4

＊６　シュミットとアリークの論文は、Simultaneous administration of the Rosenberg Self-Esteem Scale in 53 nations: exploring the universal and culture-specific features of global self-esteem. Journal of Personality and Social Psychology, 89(4), 623–642. doi:10.1037/0022-3514.89.4.623。ディーナーらの論文は、Diener, E., & Diener, M. (1995). Cross-cultural correlates of life satisfaction and self-esteem. Journal of Personality and Social Psychology, 68(4), 653–663. doi:10.1037/0022-3514.68.4.653 を参照した。

＊７　生活満足度のデータは、OECD Better Life Index を参照。
http://www.oecdbetterlifeindex.org/topics/life-satisfaction/
http://www.oecdbetterlifeindex.org/countries/japan/

＊８　石原慎太郎・盛田昭夫『「ＮＯ（ノー）」と言える日本―新日米関係の方策（カード）』光文社、1989 年

【おわりに】

＊１　2018/7/3「鹿児島銀行、沖縄県内２店舗目オープン」沖縄タイムス＋プラス　https://www.okinawatimes.co.jp/articles/-/276978

＊２　2015/3/1「泡盛　学生に不人気　65%『ほとんど飲まない』」琉球新報 Web News　https://ryukyushimpo.jp/news/prentry-239635.html

＊３　2017/8/6 築山大「沖縄の人手不足問題（2）企業への影響」琉球経営コンサルティングウェブサイト　ryukyuconsulting.com/2017/08/06/ 沖縄の人手不足（2）企業への影響 /

＊４　2019/1/16「沖縄防衛局の事業、県外受注が 53%　『基地負担は沖縄　利益は県外』」沖縄タイムス＋プラス
https://www.okinawatimes.co.jp/articles/-/367993

＊５　2020/1/27 築山大「『沖縄ザル経済の真実』いくら観光客が増えても県民が豊かにならない理由」PRESIDENT Online　https://president.jp/articles/-/32510

＊23　2006/12/8「2期8年を振り返る」QAB NEWS Headline 稲嶺恵一インタビュー　琉球朝日放送ウェブサイト
https://www.qab.co.jp/news/200612085756.html

＊24　2017/6/11 荒川和久「女性が直面する『稼ぐほど結婚できない』現実」東洋経済 ONLINE　https://toyokeizai.net/articles/-/175446
https://www.stat.go.jp/data/shugyou/2017/pdf/kgaiyou.pdf

＊25　2016/1/28 小野美由紀「なぜ日本の男は苦しいのか？　女性装の東大教授が明かす、この国の『病理の正体』」講談社現代ビジネス
https://gendai.ismedia.jp/articles/-/47501

＊26　2019/7/13 今一生「れいわ・安冨歩候補が『子どもを守ろう』とだけ演説する理由」ハーバー・ビジネス・オンライン
https://hbol.jp/196878

＊27　2016/1/29 小野美由紀「東大教授・安冨歩はなぜ『男装』をやめたか〜女性装をしてみたら、私と世界はこう変わった」講談社現代ビジネス
https://gendai.ismedia.jp/articles/-/47518

＊28　前掲（＊26）

【第5章】

＊1　例えば、加藤諦三『「日本型うつ病社会」の構造』PHP研究所、2003年：125-128、168-172、177-183など。

＊2　例えば、2019/6/28 中山祐次郎「『無給医、少なくとも2191人』の衝撃〜医師の視点〜」Yahoo! ニュース
https://news.yahoo.co.jp/byline/nakayamayujiro/20190628-00132010/

＊3　「労働生産性の国際比較 2019」公益財団法人日本生産性本部
https://www.jpc-net.jp/research/list/pdf/comparison_2019.pdf

＊4　2018/12/27 窪田順生「『日本の生産性は先進国で最下位』を素直に受け止めない人が多いのはなぜか」ダイヤモンド・オンライン
https://diamond.jp/articles/-/189729

＊14　前掲（＊6【はじめに】）「県内におけるDVの現状」

＊15　前掲（＊20【はじめに】）2016/4/27「県内刑法犯の少年割合30％ 15年、全国ワースト」琉球新報Web News

＊16　前掲（＊7【はじめに】）2017/12/6「面前DVやネグレクト…児童虐待の相談347件　沖縄県警、過去10年で最多」沖縄タイムス＋プラス 2020/2/7「児童虐待、児相への通告が急増　19年は最多1467人　前年より倍増　性的虐待も5年で5倍」琉球新報Web News

＊17　前掲（＊1）Brown, Brené *Daring greatly: How the courage to be vulnerable tramsforms the way we live, love, parent, and lead.* Penguin, 2015: 137-141

＊18　加藤諦三『自分のうけ入れ方』PHP文庫、2007年5月：文庫本前書き「アメリカの心理学者デヴィッド・シーベリーはアメリカ中を歩いて、悩んでいる人の話を聞いた学者だが、悩んでいる人に共通する点は、人に対してNOと言えないことだと言う」

＊19　2015/11/4「男の子が貧困の影響をもろに受けやすい理由」東洋経済ONLINE
https://toyokeizai.net/articles/-/89715?page=2　フィリップ・ジンバルドー『男子劣化社会』高月園子訳、晶文社、2017年など。

＊20　2015/4/23「『自殺考えた』女性に多く　20、30代は4人に1人」琉球新報Web News
https://ryukyushimpo.jp/news/prentry-242141.html?fbclid=IwAR1to7Xq-KJEVIUarry9P9FFqyTqJ5e-rZ5Pyyq4ScnROeVNoauHQW7cqIc

＊21　平成21年度　調査・研究事業「沖縄県における創業企業の問題と支援体制及び施策に関する調査研究　報告書」社団法人中小企業診断協会沖縄県支部、2010年3月：24
https://www.j-smeca.jp/attach/kenkyu/shibu/h21/h_okinawa.pdf
2018/11/27「事業コンセプトの作りかた：沖縄で永続きする企業、しない企業」琉球経営コンサルティングウェブサイト
http://ryukyuconsulting.com/2018/11/27/process-consulting_07/

＊22　Guy Kawasaki at TEDx HarkerSchool "The 12 Lessons I learned from Steve Jobs" 2011/10/22
https://www.tedxtokyo.com/translated_talk/the-12-lessons-i-learned-from-steve-jobs/?lang=ja :15′26″-16′27″

＊４　Grant, Adam M. Give and take: A revolutionary approach to success. Penguin Books, 2013: 7

＊５　Brené Brown, TED 2012 "Listening to Shame"
https://www.ted.com/talks/brene_brown_listening_to_shame/up-next?language=ja　前掲（＊１）Brown, Brené *Daring greatly: How the courage to be vulnerable tramsforms the way we live, love, parent, and lead.* Penguin, 2015: 73

＊６　年齢階級別の自殺者のデータは、厚生労働省　自殺対策白書 第１章 自殺の現状「3 年齢階級別の自殺者数の推移」を参照。
https://www.mhlw.go.jp/wp/hakusyo/jisatsu/16/dl/1-03.pdf
沖縄の自殺率の高さは、前掲（＊４【はじめに】）厚生労働省政策統括官（統計・情報政策担当）「平成 30 年我が国の人口動態」より著者算出。

＊７　前掲（＊10【はじめに】）2016/12/28「沖縄県内の教員病休率、９年連続ワースト　全国平均の３倍以上」沖縄タイムス＋プラス

＊８　前掲（＊５【はじめに】）沖縄県統計資料 WEB サイト「100 の指標から見た沖縄県のすがた（平成 28 年 10 月版）」

＊９　前掲（＊８【はじめに】）2015/7/22「社説［アルコール依存症］問われる『飲酒文化』」沖縄タイムス＋プラス
厚生労働省「主な死因、性、都道府県別年齢調整死亡率（人口 10 万対）・順位」平成 27 年

＊10　前掲（＊８【はじめに】）2016/2/14「多量飲酒、全国上回る　若い世代で顕著　男性３割『記憶なし経験』県調査」琉球新報 Web News

＊11　2019/6/14「沖縄・路上寝による死亡が５年で 12 人　事故割合は全国の５倍　大半が酒の飲み過ぎ」琉球新報 Web News
https://ryukyushimpo.jp/news/entry-936095.html

＊12　2018/8/23「飲んだら乗るな！ご先祖様も『喝』　飲酒人身事故　沖縄全国ワースト」沖縄タイムス＋プラス
https://www.okinawatimes.co.jp/articles/-/302880

＊13　2017/5/3 Chika Igaya「なぜ沖縄では小学生が飲酒するのか？『裸足で逃げる』著者・上間陽子さんに聞いた暴力と虐待の連鎖」
https://www.huffingtonpost.jp/2017/05/02/hadashidenigeru2_n_16380234.html

＊4　全国の大手スーパーと比較したサンエーの驚異的な事業力については、宮城和宏「沖縄の小売業―サンエーの経済学―」沖縄国際大学経済学科編『沖縄経済入門』2014年に詳しい。

＊5　2006/1/31「ゆめタウンはませんにレストラン2店舗を出店 沖縄県の㈱サンエー　7月めどにオープン予定」くまもと経済KUMAKEI ONLINE
http://www.kumamoto-keizai.co.jp/content/asp/week/week.asp?PageID=3&Kkiji=7344&Knum=3&tpg=1

＊6　2017/10/19「働き方改革・生産性向上推進運動の展開について」内閣府沖縄総合事務局・厚生労働省沖縄労働局
http://ogb.go.jp/-/media/Files/OGB/Soumu/teireikaiken/h29-1019/04.pdf?la=ja-JP&hash=F72014273354068A75A2E64DC6A59A3A73934254

＊7　2015/10/11「沖縄の基地問題を考えるためのヒント　樋口耕太郎×藤井誠二」トリニティアップデイト　www.trinityinc.jp/updated/?p=7714

【第4章】

＊1　Brown, Brené *Daring greatly: How the courage to be vulnerable tramsforms the way we live, love, parent, and lead.* Penguin, 2015: 10-11
Brené Brown "The Power of Vulnerability" TEDx Houston, June 2010 Transcriptを参照。

＊2　エーリッヒ・フロム『愛するということ　新訳版』鈴木晶訳、紀伊國屋書店、1991年：97、カッコは著者。

＊3　本書が定義する自尊心は、アルフレッド・アドラーの「共同体感覚」という概念にも近い。アドラーは、共同体感覚を持つ人のことを、「勇気があり、自信があり、世界に自分の居場所がある人だけが、人生のいいことと悪いことの両方を生かすことができる。彼らは決して恐れない。人生には困難があることを受け入れていて、自分にはそれを乗り越える力があることを知っている。人生のあらゆる問題に対して覚悟ができている。その問題は、いつも決まって社会的な問題である」と説明している。アルフレッド・アドラー『生きるために大切なこと』桜田直美訳、方丈社、2016年9月：16-17

出典一覧

【第2章】

＊1　2015/6/28 田原総一朗「沖縄の怒りを甘くみてはいけない」ポリタス　http://politas.jp/features/7/article/394

＊2　2014/9/25 島ネタ CHOSA 班 No.1537　「酢といえば『まるこめ』？」週刊レキオ
http://www.lequio.co.jp/pc/show2.php?c1=03shi&c2=2014&vol=1537

＊3　2016/7/15「ZOZOTOWN」の都道府県別購入金額ランキング、上位に四国地方が多数ランクイン　ネットショップ担当者フォーラム
https://netshop.impress.co.jp/node/3216

＊4　2013/1/29「都道府県別統計とランキングで見る県民性」化粧品購入量
https://todo-ran.com/t/kiji/14638
総務省家計調査にある「化粧クリーム、化粧水、乳液、ファンデーション、口紅、その他」の合計金額。県庁所在地の購入量を都道府県の購入量として推計。数値は、2009 年～ 2011 年の平均値。

【第3章】

＊1　イオンの 2019 年 2 月期の連結売上高は、8 兆 5182 億 1500 万円。イオングループの沖縄事業を担当するイオン琉球の同期営業収益（売上高とテナント収入などの合計）は 859 億 8200 万円、経常利益は 10 億 5600 万円（2019/5/18「イオン琉球　過去最高益　19 年 2 月期　株式売却で増益」琉球新報 Web News　これに対して、サンエーの 2019 年 2 月期の営業収益は 1898 億 3500 万円、経常利益は 144 億 1300 万円。沖縄地区で比較すると、サンエーはイオンの 13 倍超の利益を叩き出している。

＊2　読売新聞広告局ポータルサイト adv.yomiuri「都道府県別上位 3 紙朝刊販売部数・世帯普及率」読売新聞メディアデータ 2020
https://adv.yomiuri.co.jp/download/PDF/mediakit/general/mediadata2020/prefectures.pdf

＊3　2015/3/29「那覇―宮古線の運航終了／スカイマーク」宮古毎日新聞ウェブ版　http://www.miyakomainichi.com/2015/03/74326/

＊50　佐々井司 , 別府志海 , and 石川晃 ." 都道府県別にみた女性の年齢 (5 歳階級) 別出生率および合計特殊出生率：2012 年 " 人口問題研究 69.4 (2013): 150-156

＊51　「令和元年度　沖縄県の男女共同参画の状況について」沖縄県子ども生活福祉部 p5　https://www.pref.okinawa.jp/site/kodomo/heiwadanjo/danjo/documents/1_r1joukyou.pdf

＊52　厚生労働省ホームページ　平成 22 年度　「出生に関する統計」の概況　3 都道府県別にみた出生 (2) 結婚期間が妊娠期間より短い出生 表 9 都道府県別にみた結婚期間が妊娠期間より短い出生の嫡出第 1 子出生に占める割合―平成 21 年― https://www.mhlw.go.jp/toukei/saikin/hw/jinkou/tokusyu/syussyo06/syussyo3.html#02 によると、全国平均 25.3%に対して、沖縄は 42.4%、圧倒的な全国第 1 位である。

＊53　2014/7/1「ひとり親世帯　生活『苦しい』8 割　出現率全国 2 倍」琉球新報 Web News　https://ryukyushimpo.jp/news/prentry-228645.html

＊54　沖縄県子どもの貧困対策計画【改定計画】平成 31 年 3 月 https://www.pref.okinawa.jp/site/kodomo/kodomomirai/seishonen/kosodatec/documents/okinawakenkodomonohinkontaisakukeikaku3103.pdf p7

＊55　「H31 年沖縄県勢要覧」2019 年 3 月　沖縄県企画部統計課
https://www.pref.okinawa/toukeika/youran/H31youran.pdf
「平成 29 年就業構造基本調査結果の概要（沖縄県分)」図表関係統計表 第 23 表 男女、従業上の地位・雇用形態、起業の有無、所得、配偶関係、年齢別人口（有業者） https://www.pref.okinawa.jp/toukeika/ess/2017/ess_27.html を基に著者算出。

＊56　「平成 29 年就業構造基本調査結果の概要」平成 30 年 7 月 13 日　総務省統計局　p13
https://www.stat.go.jp/data/shugyou/2017/pdf/kgaiyou.pdf

＊57　2020/2/1「沖縄の求人は 6 年連続最高に　19 年 1.19 倍　増えるも依然全国下回る」琉球新報 Web News
https://ryukyushimpo.jp/news/entry-1067178.html

＊58　2017/3/27「沖縄のコールセンター、『4 割離職』の現実 沖縄総合事務局総務部長が語る『改善の一手』」日経ビジネスウェブ版　https://business.nikkei.com/atcl/interview/15/279177/032400019/

＊40 「沖縄県子どもの貧困対策計画」平成 28 年 3 月 沖縄県 https://www8.cao.go.jp/okinawa/3/kodomo-hinkon/shiryou/0522-1shiryou2.pdf
内閣府ウェブサイト　沖縄の子供の貧困対策に関する内閣府・沖縄県・市町村の意見交換（平成 27 年 12 月 1 日）資料 2　沖縄県提出資料 https://www8.cao.go.jp/okinawa/3/kodomo-hinkon/okinawakodomo151201.html

＊41　前掲（＊3【はじめに】）戸室健作（2016）

＊42　前掲（＊19【はじめに】）2016/2/26「給食費未納 8101 人　県内小中学校」琉球新報 Web News

＊43　前掲（＊1【はじめに】）「過去最高の県民所得になった沖縄　それでも全国では 11 年連続ワースト」沖縄タイムス＋プラス

＊44　2018/7/15「沖縄の非正規労働者、過去最多 25 万 3800 人　割合 43% は全国一」沖縄タイムス＋プラス
https://www.okinawatimes.co.jp/articles/-/283567

＊45 「労働力調査（基本集計）都道府県別結果 第 6 表年平均」総務省統計局　https://www.stat.go.jp/data/roudou/pref/index.html　2018 年の完全失業率は、1973 年の記録を 45 年ぶりに下回った。

＊46 「雇用動向調査」年計・参考表等　都道府県別表　2016 年　厚生労働省　雇用・賃金福祉統計室

＊47　2015/10/21「ニート、沖縄が全国最高率　中高生の進路未決定率も」沖縄タイムス＋プラス　https://www.okinawatimes.co.jp/articles/-/20001
2020/1/6「全国の 1.3 倍　なぜ沖縄の 3 年内離職率が高いのか？　懸念されることは？」琉球新報 Web News
https://ryukyushimpo.jp/news/entry-1052674.html
前掲（＊16【はじめに】）沖縄振興開発金融公庫「『沖縄県における若年雇用問題に関する調査報告』について」

＊48　前掲（＊11【はじめに】）沖縄県企画部「高等教育を受ける機会の創出等関係資料」平成 29 年 3 月 5 日

＊49　前掲（＊9【はじめに】）文部科学省「平成 30 年度　児童生徒の問題行動・不登校等生徒指導上の諸課題に関する調査について」令和元年 10 月 17 日　p124

＊28　2017（平成 29）年度沖縄県平和祈念資料館年報第 18 号：7 http://www.peace-museum.pref.okinawa.jp/siryokandayori/pdf/nenpo18.pdf

＊29　2016/6/8「社会資本整備の実績と現状について」内閣府 資料 7 p18 https://www8.cao.go.jp/okinawa/siryou/singikai/senmoniinkaigou/1/01-07.pdf

＊30　「県内主要プロジェクトの概要」琉球銀行調査部　2002 年 1 月 25 日 www.ryugin-ri.co.jp/wp-content/uploads/388project.pdf　p25

＊31　沖縄科学技術大学院大学「予算額の推移」内閣府ウェブサイト https://www8.cao.go.jp/okinawa/4/oist-yosan.html

＊32　前掲（＊３）内閣府沖縄担当局「沖縄の振興　2017 年度版（8 月改訂版）」 着陸料、航行援助施設利用料の税制優遇措置は 2016 年 3 月に期限を迎えている。沖縄路線にかかる航空機燃料税は引き続き優遇措置の対象であり、2015 年度の那覇空港における減免額は 115 億円である。次回の適用期限は 2022 年 3 月。

＊33　澤野孝一朗 . " 那覇空港における利用の現状と沖縄振興特別措置 " 運輸政策研究 6.4 (2004): 023-030.

＊34　2018/12「平成 29 年度航空局関係予算決定概要」国土交通省航空局 https://www.mlit.go.jp/common/001156453.pdf

＊35　2017/9/11 山田文比古「九州・沖縄サミット異聞―沖縄決定劇の舞台裏」https://www.kasumigasekikai.or.jp/2017-0911-3/

＊36　2016/5/2「『サプライズ』決定の裏側　沖縄サミット」琉球新報 Web News　https://ryukyushimpo.jp/news/entry-271323.html

＊37　「新水族館建築工事（沖縄美ら海水族館）」月間建設 03-08:51 http://www.zenken.com/hypusyou/zenkensyou/h14/zk_14_05_kentiku05.pdf

＊38　「平成 30 年版観光要覧　巻末統計資料　主な観光施設の利用状況」沖縄県ウェブサイト　https://www.pref.okinawa.lg.jp/site/bunka-sports/kankoseisaku/kikaku/report/youran/h30kankoyoran.html

＊39　事業評価監視委員会審議資料「国営沖縄記念公園」沖縄総合事務局開発建設部 2014 年 12 月 10 日　経済効果のデータは 2013 年度。 http://www.dc.ogb.go.jp/Kyoku/jigyouhyouka/pdf/2014_12_pdf/04-7.pdf

出典一覧

*18　平成29年6月28日「沖縄の酒類製造業の振興策に関する検討会」内閣府ウェブサイト
https://www8.cao.go.jp/okinawa/9/kyougikai/sake/chukan.pdf
2016/10/29「沖縄の泡盛メーカー全45社で売上高合計169億円　厳しい経営状況浮き彫り」沖縄タイムス＋プラス
https://www.okinawatimes.co.jp/articles/-/68774
前掲（*17）2016/10/29「泡盛製造業の経営状況と中長期的重点施策を発表（沖縄県酒造組合）」沖縄泡盛新聞

*19　2016/5/20 河添美羽「比嘉酒造『残波』課税で注目判決　役員退職金の『適正額』めぐり東京地裁が一部取り消し」KaikeiZine
https://kaikeizine.jp/article/1755/

*20　「公庫レポート　沖縄公庫取引先からみた泡盛メーカーの現状と課題について」沖縄振興開発金融公庫　2018.7　No.158.p6　https://www.okinawakouko.go.jp/sp/userfiles/Report_158_01.pdf

*21　2016/5/13「泡盛売上高43％減　東商リサーチ調査　45社決算から推計」琉球新報 Web News　https://ryukyushimpo.jp/news/entry-277942.html

*22　資料編（5）「基地問題の沿革」沖縄県ウェブサイト
https://www.pref.okinawa.jp/site/chijiko/kichitai/18052.html

*23　前掲（*23【はじめに】）

*24　恩納村字恩納にある米海兵隊管理の通信施設。総面積63ヘクタール。兵舎などの建物、工作物があったが、遊休化し1996年に返還された。「米軍基地環境カルテ　恩納通信所（施設番号：FAC6013）」平成29年3月　沖縄県ウェブサイト　https://www.pref.okinawa.lg.jp/site/kankyo/seisaku/documents/11.pdf

*25　「沖縄政策協議会の設置について【閣議決定】」内閣府ウェブサイト沖縄政策協議会　https://www8.cao.go.jp/okinawa/9/911_konkyo.pdf

*26　「沖縄米軍基地所在市町村活性化特別事業（沖縄懇談会事業）に係る実績調査報告書資料1-2」内閣府ウェブサイト
https://www8.cao.go.jp/okinawa/8/2008/1128_houkokusyo.html

*27　2014/8/11「復帰以降の沖縄予算　17兆7400億円」沖縄タイムス＋プラス　https://www.okinawatimes.co.jp/articles/-/42873

＊8　2020/3/28「オリオン　シェア55%目標　県内ビール類　新商品投入を強化」琉球新報 Web News
https://ryukyushimpo.jp/news/entry-1097547.html

＊9　前掲（＊5）前泊博盛（2015）

＊10　前掲（＊7）『オリオンビール50年のあゆみ　時代を超えて、これからも』

＊11　2019/1/23「野村HDと米カーライルがオリオンビールを買収、最大570億円」
Bloomberg　https://www.bloomberg.co.jp/news/articles/2019-01-23/PLRXSD6JIJUV01

＊12　2019/2/15「オリオンビール、野村HDが買収の“政治的事情”…優遇措置終了の時限爆弾」ビジネスジャーナル
https://biz-journal.jp/2019/02/post_26696.html

＊13　2015/12/23「泡盛業界とオリオンビールが酒税軽減延長申請へ」沖縄タイムス＋プラス　https://www.okinawatimes.co.jp/articles/-/22196

＊14　2016/1/7「沖縄県酒類製造業連絡協議会が、酒税軽減措置の延長について要請（1月5日）」沖縄県ウェブサイト
https://www.pref.okinawa.jp/site/chijiko/kohokoryu/koho/topic/201510152.html

＊15　オリオンビール幹部社員の証言による。

＊16　前掲（＊5）前泊博盛（2015）

＊17　2016/10/29「泡盛製造業の経営状況と中長期的重点施策を発表（沖縄酒造組合）」沖縄泡盛新聞　awamori-news.co.jp/2016_10-28_financial-condition-of-awamori-manufacturing-and-medium-and-long-term-priority-measures/

＊25　樋口耕太郎「沖縄から貧困がなくならない本当の理由（1）～（7）」タイムス×クロス　樋口耕太郎のオキナワ・ニューメディア、沖縄タイムス＋プラス
https://www.okinawatimes.co.jp/category/tc-s-higuchi

＊26　「特集：『沖縄県知事選 2018』から考える」2018/9/27　樋口耕太郎「沖縄から貧困がなくならない、本当の、本当の理由」ポリタス
http://politas.jp/features/14/article/616

【第 1 章】

＊1　2016/5/18「基地収入　比重は低下【誤解だらけの沖縄基地・28】」沖縄タイムス＋プラス　https://www.okinawatimes.co.jp/articles/-/31149 などを参照。

＊2　沖縄県ウェブサイト「（よくある質問）米軍基地と沖縄経済について」
https://www.pref.okinawa.jp/site/kikaku/chosei/kikaku/yokuaru-beigunkichiandokinawakeizai.html

＊3　内閣府沖縄担当部局「沖縄の振興　2017 年度版（8 月改訂版）」
https://www8.cao.go.jp/okinawa/pamphlet/sinkou_2017-tougou1.pdf

＊4　2018/7/6 「酒税軽減措置の延長を　沖縄県議会で意見書可決」沖縄タイムス＋プラス　https://www.okinawatimes.co.jp/articles/-/279027

＊5　前泊博盛 . " 報告①「沖縄における泡盛産業と地域振興～酒税減免措置と経済効果の分析～」（三大学院共同シンポジウム）" 札幌大学総合研究 6 (2015): 59-101

＊6　このうち約 20 億円は減税効果とされている。2019/8/5 野中大樹「沖縄・オリオンビール『第 2 創業』に至った舞台裏　県民が育てるビール会社はなぜ売られたのか」東洋経済 ONLINE
https://toyokeizai.net/articles/-/295031

＊7　オリオンビール株式会社 50 周年記念誌編集委員会『オリオンビール 50 年のあゆみ　時代を超えて、これからも』2008 年 p302、及びオリオンビール株式会社有価証券報告書から著者算出。

＊15　就職構造基本調査／時系列統計表／都道府県別若年無業者数及び割合（平成 14 年～平成 29 年）　https://www.e-stat.go.jp/stat-search/files?page=1&layout=dataset&toukei=00200532&tstat=000001116777&cycle=0&tclass1=000001116800&stat_infid=000031732287

＊16　厚生労働省沖縄労働局「新規学卒就職者の離職状況（平成 27 年 3 月卒業者）」
https://jsite.mhlw.go.jp/okinawa-roudoukyoku/content/contents/H30.12.7_H2703_shinsotsu_risyoku.pdf
沖縄振興開発金融公庫「『沖縄県における若年雇用問題に関する調査報告』について」　https://www.okinawakouko.go.jp/sp/newsrelease/detail/2270

＊17　2019/10/18「無気力、友人関係の不安…沖縄の不登校、小学生、高校生で全国ワースト　いじめも過去最多」沖縄タイムス＋プラス
https://www.okinawatimes.co.jp/articles/-/486129

＊18　前掲（＊10）2016/12/28「沖縄県内の教員病休率、9 年連続ワースト　全国平均の 3 倍以上」沖縄タイムス＋プラス

＊19　2016/2/26「給食費未納 8101 人　県内小中学校」琉球新報 Web News　https://ryukyushimpo.jp/news/entry-228388.html

＊20　2016/4/27「県内刑法犯の少年割合 30％　15 年、全国ワースト」琉球新報 Web News　https://ryukyushimpo.jp/news/entry-267703.html
ただし、少年犯罪の検挙数は過去 10 年間減少傾向にある。

＊21　2014/2/2「県の面積 1 年間で 0.8 平方キロ増加　埋め立てが要因」琉球新報 Web News　https://ryukyushimpo.jp/news/prentry-2/8732.html

＊22　浦添市土地開発公社「那覇港浦添ふ頭地区第一ステージ都市機能用地事業提案募集要項」平成 25 年 9 月　www.okitel.com/UL/2013091901EK.pdf

＊23　米軍施設・区域の整理・統合・縮小など諸問題の検討を行い、1996 年の中間報告を経て、同年 12 月に普天間飛行場の移設を含む最終報告を発表した。

＊24　2013/5/23　樋口耕太郎「れお」トリニティアップデイト　www.trinity.jp/updated/?p=5981

出典一覧

＊8　2015/7/22「社説［アルコール依存症］問われる『飲酒文化』」沖縄タイムス＋プラス　https://www.okinawatimes.co.jp/articles/-/16775

沖縄県は、男女共に肝疾患の死亡率が、他の県と比べて、圧倒的に高い傾向がある。厚生労働省「主な死因、性、都道府県別年齢調整死亡率（人口10万対）・順位」平成27年

https://www.mhlw.go.jp/toukei/saikin/hw/jinkou/other/15sibou/dl/10.pdf

2016/2/14「多量飲酒、全国上回る　若い世代で顕著　男性3割『記憶なし経験』県調査」琉球新報 Web News

https://ryukyushimpo.jp/news/entry-221154.html

＊9　文部科学省「平成30年度　児童生徒の問題行動・不登校等生徒指導上の諸課題に関する調査結果について」令和元年10月17日　p96、115

https://www.mext.go.jp/content/1410392.pdf

＊10　2016/12/28「沖縄県内の教員病休率、9年連続ワースト　全国平均の3倍以上」沖縄タイムス＋プラス

https://www.okinawatimes.co.jp/articles/-/77699

＊11　沖縄県企画部「高等教育を受ける機会の創出等関係資料」平成29年3月5日

https://www8.cao.go.jp/okinawa/siryou/singikai/senmoniinkaigou/1j/01j-043.pdf

＊12　前掲（＊9）文部科学省「平成30年度　児童生徒の問題行動・不登校等生徒指導上の諸課題に関する調査結果について」令和元年10月17日　p124

＊13　西本裕輝『どうする「最下位」沖縄の学力』琉球新報社、2012年11月

＊14　一般職業紹介状況（職業安定業務統計）／新規学卒者（高校・中学）の職業紹介状況／平成31年度 第1　平成31年3月新規学卒者（高校・中学）の職業紹介状況 2　付属統計表　都道府県別求人倍率、就業率

https://www.e-stat.go.jp/stat-search/files?page=1&query=%E5%B0%B1%E8%81%B7%E7%8E%87%E3%80%80%E9%83%BD%E9%81%93%E5%BA%9C%E7%9C%8C%E5%88%A5&layout=dataset&stat_infid=000031877859&metadata=1&data=1

出典一覧

【はじめに】

＊１　2019/12/2「過去最高の県民所得になった沖縄　それでも全国では11年連続ワースト」沖縄タイムス＋プラス
https://www.okinawatimes.co.jp/articles/-/504722?fbclid=IwAR0vct90ZeVV2CWTczq2PcfatDtjUUPAPTqc-9j3r9mgefikWVWm2ig24uo

＊２　厚生労働省　「平成30年賃金構造基本統計調査　結果の概況」
https://www.mhlw.go.jp/toukei/itiran/roudou/chingin/kouzou/z2018/

＊３　戸室健作, 2016,「都道府県別の貧困率、ワーキングプア率、子供の貧困率、捕捉率の検討」山形大学人文学部編『山形大学人文学部研究年報』13:33-53
www-h.yamagata-u.ac.jp/wp-content/uploads/2016/04/nenpou13_3.pdf

＊４　厚生労働省政策統括官（統計・情報政策担当）「平成30年我が国の人口動態」
https://www.mhlw.go.jp/toukei/list/dl/81-1a2.pdf

＊５　沖縄県統計資料WEBサイト「100の指標から見た沖縄県のすがた(平成28年10月版)」
https://www.pref.okinawa.jp/toukeika/100/2016/100(2016).html

＊６　「県内におけるDVの現状」 https://www.pref.okinawa.lg.jp/site/kodomo/heiwadanjo/danjo/documents/siryou1.pdf

＊７　2017/12/6「面前DVやネグレクト…児童虐待の相談347件　沖縄県警、過去10年で最多」沖縄タイムス＋プラス
https://www.okinawatimes.co.jp/articles/-/180137
2020/2/7「児童虐待、児相への通告が急増　19年は最多1467人　前年より倍増　性的虐待も5年で5倍」琉球新報Web News
https://ryukyushimpo.jp/news/entry-1070313.html

本書は、沖縄タイムス＋プラスで連載された「沖縄から貧困がなくならない本当の理由（1）～（7）」（２０１６年6月～２０１８年8月）、ポリタスに掲載された「沖縄から貧困がなくならない、本当の、本当の理由」（２０１８年９月）の原稿をもとに大幅な加筆・修正を行い、一冊にまとめたものです。

樋口耕太郎（ひぐちこうたろう）
1965年生まれ、岩手県盛岡市出身。'89年、筑波大学比較文化学類卒業、野村證券入社。'93年、米国野村證券。'97年、ニューヨーク大学経営学修士課程修了。2001年、不動産トレーディング会社レーサムリサーチへ移籍し金融事業を統括。'04年、沖縄のサンマリーナホテルを取得し、愛を経営理念とする独特の手法で再生。'06年、事業再生を専業とするトリニティ設立、代表取締役社長（現任）。'12年、沖縄大学人文学部国際コミュニケーション学科准教授（現任）。内閣府・沖縄県主催「金融人財育成講座」講師。沖縄経済同友会常任幹事。本書が初の著書。

沖縄《おきなわ》から貧困《ひんこん》がなくならない本当《ほんとう》の理由《りゆう》

2020年6月30日初版1刷発行
2023年11月15日　　10刷発行

著　者 —— 樋口耕太郎
発行者 —— 三宅貴久
装　幀 —— アラン・チャン
印刷所 —— 堀内印刷
製本所 —— ナショナル製本
発行所 —— 株式会社光文社
東京都文京区音羽1-16-6（〒112-8011）
https://www.kobunsha.com/
電　話 —— 編集部03（5395）8289　書籍販売部03（5395）8116
業務部03（5395）8125
メール —— sinsyo@kobunsha.com

落丁本・乱丁本は業務部へご連絡くだされば、お取替えいたします。
　ISBN 978-4-334-04479-4

1059

ホークス3軍はなぜ成功したのか？

才能を見抜き、開花させる育成力

喜瀬雅則

千賀滉大、甲斐拓也、牧原大成、石川柊太、周東佑京、大竹耕太郎——なぜホークスだけが3軍制で大成功を収めたのか？　多くの選手・関係者への取材を元に解き明かす。

978-4-334-04470-1

1060

管理栄養士が伝える

長生き食事術

人生100年時代の「新・栄養学」入門

麻生れいみ

「食」を変えればカラダと人生が変わる——。明日の健康を手に入れる、未来の病気のリスクを減らすための「日常生活で何をどう食べるか」。シーン別の食事マネジメント術も公開。

978-4-334-04471-8

1061

深宇宙ニュートリノの発見

宇宙の巨大なエンジンからの使者

吉田滋

南極点の氷河に突き刺さった「宇宙からの使者」とは？　日本の物理学分野の最高峰・仁科記念賞を受賞した著者による、「高エネルギーニュートリノ」の発見をめぐるスリリングな物語。

978-4-334-04472-5

1062

フェイクニュース時代を生き抜く

データ・リテラシー

マーティン・ファクラー

虚偽に流され情報の蛸壺に陥らない方法をNYタイムズ元記者が指南。V字回復した同社にメディア再興の道も探る。日本の新聞は権力を離れて調査報道に注力し、紙信仰を捨てよ！

978-4-334-04473-2

1063

業界破壊企業

第二のGAFAを狙う革新者たち

斉藤徹

アマゾン、ウーバーなどに代表される、業界秩序や商習慣にとらわれず、斬新なビジネスモデルやテクノロジーによって、業界で〝一人勝ち〟する企業を一挙紹介。【大前研一氏、推薦】

978-4-334-04475-6

光文社新書

1064 歴史秘話 外務省研修所 知られざる歩みと実態

片山和之

外交官・人間としての「7つの美徳」と『勘』の養い方」とは？　華やかな外交の表舞台の対極に位置し、国家の命運をも左右しかねない「黒子の存在」を、現役の所長が初めて綴る。

978-4-334-04434-3

1065 笑わせる技術 世界は9つの笑いでできている

西条みつとし

「共感」「自虐」「裏切り」「安心」「期待」「無茶」「発想」「リアクション」「キャラクター」——日常会話から合コン、商談、スピーチ、お笑いのプロを目指す人まで使える新教科書。

978-4-334-04459-6

1066 「高学歴ワーキングプア」からの脱出

水月昭道

『高学歴ワーキングプア』刊行から13年、研究者であり僧侶でもある著者が、紆余曲折ありながらも行き着いた境地とは？　元ポスドク、前野 ウルド 浩太郎氏との対談を収録。

978-4-334-04476-3

1067 日本の少子化対策はなぜ失敗したのか？ 結婚・出産が回避される本当の原因

山田昌弘

1・57ショックから30年、出生率の低迷が続く日本。家族社会学者である著者が、少子化対策の的外れだった点を分析。いま直視すべき、日本に特有の傾向・意識、そして変化とは？

978-4-334-04468-8

1068 炎上CMでよみとくジェンダー論

瀬地山角

炎上する広告には必ず理由があり、近年その多くがジェンダーへの無理解を背景としている。炎上の構造を4つの象限で捉え直す、東大名物講義の「番外編」。

978-4-334-04469-5